MARIE RICCOBONI

Histoire d'Ernestine

Edited by
Joan Hinde Stewart
and Philip Stewart

The Modern Language Association of America
New York   1998

©1998 by The Modern Language Association of America
All rights reserved. Printed in the United States of America

MLA and the MODERN LANGUAGE ASSOCIATION are trademarks
owned by the Modern Language Association of America. For
information about obtaining permission to reprint material from MLA
book publications, send your request by mail (see address below) or e-mail
(permissions@mla.org).

Library of Congress Cataloging-in-Publication Data

Riccoboni, Marie Jeanne de Heurles Laboras de Mezières, 1713–1792.
Histoire d'Ernestine / Marie Riccoboni ;
edited by Joan Hinde Stewart and Philip Stewart.
p.   cm. — (Texts and translations. Texts ; 7)
Includes bibliographical references.
ISBN 978-0-87352-785-2 (paper)
I. Stewart, Joan Hinde. II. Stewart, Philip. III. Title. IV. Series.
PQ2027.R3H55   1998
843'.5—dc21   98-38046

Texts and Translations 7

ISSN 1079-252X

Cover illustration: *Portrait of a Young Woman*, by
Marie-Louise-Elisabeth Vigée-Lebrun (1755–1842). Oil on canvas.
Robert Dawson Evans Collection. Courtesy of Museum of Fine Arts, Boston.

Second printing 2014. Printed on recycled paper

Published by The Modern Language Association of America
26 Broadway, New York, New York 10004-1789
www.mla.org

TABLE OF CONTENTS

INTRODUCTION

Histoire d'Ernestine was published in 1765 as the main new attraction in a collection of otherwise reissued short pieces including Marie Riccoboni's well-known sequel to *La vie de Marianne*, by Pierre Marivaux. Riccoboni had already established considerable appeal with the reading public through her first three novels, published in the space of just a couple of years. *Lettres de Mistriss Fanni Butlerd* (1757), a spare work of autobiographical inspiration, analyzes a love affair from beginning to end. *Histoire de M. le marquis de Cressy* (1758), about an ambitious man who drives one woman to a nunnery and another to suicide, revolted and fascinated readers. *Lettres de Mylady Juliette Catesby* (1759), which was to join Jean Jacques Rousseau's *Julie ou la nouvelle Héloïse* (1761) as the two most frequently published novels of the eighteenth century, is the story of a spirited woman who, angry at first over her lover's fickleness, eventually forgives and marries him.

After these initial successes, Riccoboni had gone on to write *Amélie* (1762), freely adapted from Henry Fielding's *Amelia*, and *Histoire de Miss Jenny* (1764), which contained one of her few complicated plots. *Histoire d'Ernestine*, which came next, was to be followed by three more novels: *Lettres d'Adélaïde de Dammartin, comtesse de Sancerre*

(1767), *Lettres d'Elisabeth Sophie de Vallière* (1772), and *Lettres de Mylord Rivers* (1777), as well as original short stories and translations of several English plays. Even independent of the critical and popular acclaim that was to greet *Ernestine,* the period of its publication was an exceptionally good one for Madame Riccoboni, as she was then signing her novels—or Marie Riccoboni, as she often signed her letters. Her full maiden name was Marie Jeanne de Heurles de Laboras, and she had also adopted the name Mézières (with various spellings) when she became an actress. The proceeds from her first novels permitted her to retire from the Comédie Italienne in 1761, putting an end to an acting career that dated back to 1734, and to devote herself to the writing career she had begun at age forty-three. In 1765 she turned fifty-two and, having separated years earlier from her actor-husband, Antoine François Riccoboni, was living with a devoted and self-effacing friend, Thérèse Biancolelli, a retired actress like herself.

By 1765 Marie Riccoboni was also enjoying the company of two Britons on extended visits to the Continent. One was the manager of London's Drury Lane Theatre, the most famous English actor of the century, David Garrick, who was in Paris with his wife. The other was a young Scot, Robert Liston, who had come to Paris in the summer of 1764 as tutor to the sons of the British diplomat Gilbert Elliot. David Hume, a Scottish philosopher and historian on the staff of the British embassy in Paris, brought Liston, destined to become a distinguished diplomat himself, to meet Riccoboni. Liston was soon a regular visitor in the modest flat she shared in the rue Poissonnière, and he began giving English lessons to her and Biancolelli. He was twenty-nine years Riccoboni's junior. Garrick left Paris in the spring of 1765 and Liston in 1766; she was to correspond with both for many years.

With Garrick she shared a deep interest in theater and maintained a warm professional friendship; he would send her books and plays to read and translate, keep her abreast of English literary trends, and mediate with the London publisher of her novels, with whom she had endless financial difficulties. With Liston, however, the situation was more complex, for she had fallen in love with him during those English lessons, and despite her awareness of the futility of an attachment so essentially one-sided, and so geographically and culturally, not to add chronologically, imbalanced, the intensity of her feelings never abated. Riccoboni had had lovers, but her astonishing passion for the young Scot was her most preoccupying and enduring one. For twenty years, as he pursued his peripatetic career and occasionally visited her in Paris, she wrote him beautiful and tender letters, often maternal, sometimes impassioned. Her last extant letter, dated September 1783—a little more than nine years before she died 7 December 1792, at seventy-nine—was to him. "Adieu," she concluded. "J'ai peine à vous quitter. C'est une folie, n'est-ce pas?" (Nicholls 440).

The novels before 1765 revolve mostly around the perfidy—or, at best (as in *Lettres de Mylady Juliette Catesby*), the weakness—of men. This theme finds its culmination with the 1764 publication of *Histoire de Miss Jenny*, as bleak a story, and with as thoroughgoing a male villain, as Riccoboni ever conceived. With *Ernestine*, in contrast, she produced a finely detailed portrait of triumphant first love, where the struggle is not against male villainy but against social and personal prejudice and ambition. The three novels that followed, although shaped differently, were also to end happily.

But even while *Ernestine* inaugurates a new mode for Riccoboni, it stands as much apart from her subsequently published novels as it does from those that precede it. For its concision and polish, for the exemplary honesty of its protagonists, for the shining, uncalculating intelligence of its heroine, *Ernestine* is essentially without parallel in Riccoboni's oeuvre. Whereas several of her novels (e.g., *Lettres de Mistriss Fanni Butlerd* and *Lettres de Mylady Juliette Catesby*) are set in the vague England of convention, which was the literary fashion in France, *Ernestine* is anchored in places familiar to a French reader: Paris (specifically the Faubourg Saint-Antoine) and its environs, including Montmartre. The story of the German-born heroine who must acquire a new language and a new set of values and who must even learn how to dress and use makeup may perhaps be read, at one level, as a story of successful cross-cultural relations.

But for all its apparent simplicity, this novel is about sexual enlightenment and social prejudice. It turns on an issue that much exercised the literary imagination of the eighteenth century: seduction, in all its links to money, reputation, and marriageability. In fact, in many ways *Ernestine* is a typical period romance: a nubile orphan, a handsome marquis, spontaneous love, virginity nonetheless preserved, obstacles overcome, finally marriage. This story may seem rather distant from us today; its leading characters are a moneyed aristocrat who at twenty-six thinks of his servants patronizingly as "mes chers enfants" and a lovely girl who must manage not only to keep her chastity but also to avoid any appearance to the contrary. Yet the novel is more than an appealing period piece, thanks to the grace of Riccoboni's writing, her gently insistent feminism, and the generosity of a resolution in which nobility proves to be as much a matter of mind and heart as birth. This is a book about happiness and coming of age, and about the interplay of prudence and courage.

Riccoboni's story of a young woman of obscure birth who must make her way in the world has been compared with Samuel Richardson's *Pamela* (1740), but Ernestine is incapable of Pamela's subtle calculation, and her adventure covers only a fraction of the length of Pamela's. In fact, Riccoboni was an adept reader of English literature and tried her hand more than once at translation, while her own novels were being translated into English (by, among others, the novelist Frances Brooke). Riccoboni's originality is apparent when she is read against two contemporaries working in French who rank among the most compelling writers of the era: Isabelle de Charrière, Dutch by birth and Swiss by marriage, and Françoise de Graffigny, author of the very popular novel *Lettres d'une Péruvienne* (1747). Much of the feminist impact of the novels of Graffigny and Charrière has to do with the authors' refusal of traditional endings: Zilia, the Peruvian, has a fine opportunity to marry yet declines to do so, much to the disappointment of Graffigny's readers; and the heroines of Charrière's *Lettres neuchâteloises* (1784), *Lettres de Mistriss Henley publiées par son amie* (1784), and *Lettres écrites de Lausanne* (1785) know no clear ending at all. Mistress Henley, for example, for a host of seemingly minor reasons, is deeply unhappy with her rigidly rational husband; but in her last letter she confides that she doesn't know what will become of her, and we never learn whether she lives or dies.

Riccoboni, in contrast, wraps everything up neatly at the end. On the way, she steers a middle course between the extravagant plot of *Lettres d'une Péruvienne* (exoticism, war, kidnapping, accidents at sea, fabulous wealth) and the understatement of Charrière's first few novels, where nothing ever really seems to happen more eventful than the removal of a portrait from a wall or the disappearance of an Angora cat.

Riccoboni's feminism is more explicit. At the same time, her writing displays an exemplary sobriety and discretion. Take, for example, the scene of the initial encounter between the marquis de Clémengis and Ernestine. An apprentice miniature painter, the sixteen-year-old girl is putting the finishing touches on a portrait begun by her master, when the elegant aristocrat she recognizes as its model enters the studio. She says not a word but gestures to him to be seated and goes on working, looking back and forth between him and the likeness. The unexpectedness of such lack of ceremony thrills the world-weary marquis, who is stirred by her unaffected application to her work; her manner, which is neither deferential nor brazenly self-assured; her intuitive grasp of the uses of silence: "[C]'était une espèce d'aventure, simple, mais agréable." The whole of Ernestine's brief story, for its understated elegance, for the resonant silences of incident and plot, may be similarly described.

Ernestine is a novel where feelings, events, and background are imparted by intimation. When we learn that certain women are "d'une conduite peu exacte," we are supposed to understand their moral laxness. Similarly, the stylized physical description characteristic of the period's novels belies, in Riccoboni's case, the richness of psychological detail: while the marquis's good looks are conveyed by no more than a brief allusion to his "parure" and "air distingué," we appreciate his appeal when we learn that an unnamed lady is impatiently awaiting his portrait. Even the isolating effect of accumulated deaths on the heroine is more implied than overtly stated. Riccoboni spends as few words on the disappearance of those who die as she does on description: the end comes quickly, without fuss. In the space of a few years and a few pages, Ernestine successively loses her natural, legal, and professional protectors: her young mother dies suddenly of no discernible cause; her adoptive mother falls ill a few years later and is gone within five days; her host and master succumbs a few years further on. Each time, we are made to understand, with a few phrases, the depth of her steadily maturing grief and to feel as well the void and the silence these absences create around her. The silence, about society's protocols and requirements, will be broken eventually, but almost too late, by her friend Henriette. Meanwhile, the situation obliges Ernestine to marshal not only her energy but also her artistic gifts.

For Ernestine, like her embroidering mother but unlike most protagonists in earlier sentimental novels, has to work, albeit in a distinguished trade. In this she resembles the author herself, who first acted and later wrote and translated for a living. Riccoboni was no leisured aristocrat; like Graffigny and Charrière, she was among the first women to support themselves through their writing. In *Ernestine*, she gives us a protagonist who learns to paint not for the drawing room but for the studio, one whose talent is no mere refinement but a survival skill. When Ernestine meets Clémengis, she is, and for a brief period remains—like her creator—a successful young working woman, and her studious application to her craft is partly responsible for the attraction she exerts. In this sense, she is exceptionally modern. She is dependent but not totally without resources, and as she matures, her ability to practice a trade is matched by her sturdy intuitions.

That is to say, Ernestine is neither the passive nor the victimized heroine found in numerous other novels of the period. She manages to negotiate questions of honor and appearances and to balance the precariousness of her social and economic situation against the potentially compromising nature of male generosity. And she finds happiness in the end, not because she is quietly won by the man she loves, and not really even because his influential relative has a change of heart, but because she deploys the energy of speech and action that alone can win both of them over. "Que ne suis-je morte!" she cries upon learning of Clémengis's misfortunes. "Ah! que ne suis-je morte, avant d'avoir appris que Monsieur de Clémengis est malheureux!" Taking bold action at the critical moment, courting society's derision for the sake of what she believes in, Ernestine claims him as her own. The docility and self-abnegation she displays early in the novel later give way to her private notions of justice and generosity: first she offers herself as a sacrifice to the marquis's desires, if that is what is required to "save" him, and at the end she rushes to his side as if to offer herself in marriage, even though he hasn't asked. Her idea of the *bienséances*, as one recent critic notes, would have shocked the classics (Kibédi Varga 982).

That serviceable vision of the good and the proper is consonant with Ernestine's respect for her own sexuality, and in this too she is distinct from other sentimental heroines. While she resists seduction, she hardly denies desire, and very nearly confesses to it, groping to come to terms with her feelings and expressing at the presence of Clémengis "je ne sais quel sentiment délicieux." As she admits later to Clémengis himself, "Ce n'est pas vous, Monsieur, c'est moi-même que je crains." When she offers to submit to him, her motivations encompass both gratitude and desire.

A long central episode foregrounds the question of the heroine's virginity. When Henriette Duménil has finally been persuaded of what the reader knows all along—that Ernestine is chaste—Ernestine has made a more important discovery and thereby lost her intellectual innocence. "Une situation heureuse," the narrator tells us in one of her many neat explanatory aphorisms, "ne conduit point à réfléchir." Only when confronted with Henriette's disapproval and forced to make difficult choices does Ernestine understand at last the impossibility of the hopes she unconsciously cherished: "[M]ais d'où vient éprouve-t-on une douleur si vive en renonçant à un espoir qu'on n'avait pas?" She must understand too that society is suspicious; that (in Henriette's view, at least) men are vicious; that Clémengis has behaved, if not wickedly, then at least imprudently; and that the physical and emotional ease with which Ernestine related to him and the world is no longer possible. In the shame that replaces her original serenity, she is like Eve after the fall: "[P]our la première fois, éprouvant à l'approche du marquis une émotion où le plaisir ne se mêlait pas, elle craignit sa présence, et sentit le désir de lui cacher les mouvements de son cœur." For all her painterly study of Clémengis, she really sees him only after Henriette has enlightened her. "Mes yeux sont ouverts," Ernestine says simply.

Henriette's diatribe about men, delivered in the course of her lengthy conversation with Ernestine, is one of the most stirring formulations in Riccoboni's work: men "se prétendent formés pour guider, soutenir, protéger un sexe *timide et faible*: cependant eux seuls l'attaquent, entretiennent sa timidité, et profitent de sa faiblesse." Condemnation of the double standard by which men judge themselves and women differently and by which they simultaneously prescribe laws for the "weaker" sex and urge the infringement of those laws is one of Riccoboni's favorite criticisms of contemporary society. Henriette will shortly acknowledge that the constancy of Clémengis makes him virtually unexampled in her experience; he stands with Mylord Rivers, in Riccoboni's last novel, as an exception to the rule. Clémengis nonetheless is insufficiently sensitive to the fragility of a woman's honor, misgauges the tyranny of appearances, and places too much trust in the feckless Mme Duménil; it never enters his head that he could renounce the economic and social advantages for which he has been bred, and at a critical point he allows his sensuality to govern his sensibility. It falls ultimately to Ernestine to deliver lessons in generosity.

Her reward for her exalted disinterestedness is a fairy-tale marriage. But this is virtually the only happy marriage in an otherwise disabused rendering of social and marital arrangements. Skeletal background details about various characters hardly suggest that marriage generally brings satisfaction: the exile of Ernestine's mother was caused by a "méchant mari"; Mme Duménil is an undignified and unhappy companion to her husband; and Clémengis, on the verge of a marriage of convenience with a young woman just emerging from a convent school, deplores the standard arrangement to which he too yields in principle. He writes to Ernestine: "[O]n nous unira bientôt, sans nous consulter, sans s'embarrasser si nos cœurs sont disposés à se donner." Most telling is the situation of Henriette Duménil: "Point de bien, peu de beauté, beaucoup d'esprit, l'éloignaient du mariage." These aspects of the novel resonate not only with Riccoboni's experience as unwanted daughter of a jealous and tyrannical mother and a bigamous father but also with Riccoboni's own dismal, failed marriage to an irresponsible man.

The triumph of Ernestine's marriage is thus ambiguous and, for some critics, banal. The only character in the text to be designated solely by her first name (because indeed she has no other), Ernestine acquires through marriage a complete and legitimate surname when the marquis refers to her in the closing lines as the future marquise de Clémengis. The erasure of Juliette Catesby's maiden name when she becomes Milady d'Ossery in Riccoboni's third novel, suggesting the eclipse of her subjectivity, has disappointed some feminist critics. But Ernestine's situation is different, since Ernestine can gain security and status only through such acquisition of a name. And since *Ernestine*, unlike *Catesby* and most of Riccoboni's novels, is not told in the heroine's voice, the novel projects all along a mediated form of subjectivity that does not insist on sentiments at the conclusion. *Ernestine* is largely about the difficulty of relations between the sexes, but in its stylized conclusion love wins out over pride, and good sense wins out over rigid social sanctions; a marriage of love prevails over family estates, as it does over concubinage.

The appeal of *Histoire d'Ernestine* was considerable for generations of readers. Marie Antoinette owned a copy of the original edition (as well as several other works by Riccoboni and even an edition of the complete works. More professional readers noted its classical purity of style and rhythm. The critic Louis de Bachaumont judged it an example of exquisite taste (2: 200; 5 June 1765). The *Correspondance littéraire* saw in it "un petit roman plein d'intérêt et d'agrément," if a bit hurried toward the end. "Cette femme," the reviewer concluded, "a beaucoup de talent. Un ton distingué, un style élégant, léger et rapide la mettront toujours au-dessus de toutes les femmes qui ont jugé à propos de se faire imprimer en ces derniers temps" (Grimm et al. 435–36; May 1765). The *Bibliothèque universelle des romans*, which published an adaptation of the novel in 1781, called it an example of works that invite rereading not because they are complicated but, rather,

because of their exquisite simplicity: "Ce sont de ces productions qu'on dévore dans leur nouveauté, qu'on oublie
ensuite parce qu'elles n'offrent pas de grands traits, et
dont on ne jouit bien qu'en les relisant" (153). And for the
literary historian Jean-François de La Harpe, who wrote
at the end of the century, *Ernestine*'s perfection lay in its
brevity: "À l'égard d'*Ernestine*, quoique ce soit la moindre
production de l'auteur pour l'étendue, c'est peut-être la
première pour l'intérêt et les grâces. C'est un morceau fini
qui suffirait seul à un écrivain. On pourrait appeler *Ernestine* le diamant de Madame Riccoboni" (21).[1]

Ernestine was not only one of Riccoboni's greatest successes (the other being *Lettres de Mylady Juliette Catesby*)
but also perhaps her most lasting. Within a year the novel
was translated into English, and a dozen years later interest still ran high enough for the Comédie Italienne to at-
tempt an adaptation of it, a comic opera titled *La protégée
sans le savoir* (it was performed only once), written by
none other than Choderlos de Laclos, author of the great
classic *Les liaisons dangereuses*. As discerning an observer
as the novelist-educator Félicité de Genlis could declare a
half century later that *everyone* had read "la jolie nouvelle
intitulée *Ernestine*" (280).

Ernestine's most often cited quality was that elusive one
called charm, a trait attributed to the best exemplars of
the sentimental vogue. "Conte charmant," said the *Gazette
littéraire de l'Europe* (March–May 1765: 5). "Tout ce que
l'esprit et les grâces peuvent ajouter de charme à la tendresse et à la vertu," said Laclos (758–59).[2] In the mid-
nineteenth century the *Revue de Paris* still acknowledged
in its subject, although somewhat grudgingly, "une idée

fraîche et d'une simplicité charmante" (Mme M.). And for Julia Kavanagh, author of an 1862 study, the concluding events "only divert us from one of the most charming groups [of characters] Madame Riccoboni ever drew" (17). The charm is neither that of the utterly fanciful (as in a fairy tale) nor that of triumphant jubilation (as in comedy) but that of a slightly moral satisfaction, albeit without illusions, procured by a judicious sort of fictionally immanent justice. Men, it turns out, are not all bad, nor are women always unhappy.

Notes

[1]The first edition of the *Lycée, ou cours de littérature*, in which La Harpe's critique appears, was in 1798–1804.

[2]In his letter of April 1782 to Riccoboni, Laclos included *Fanni Butlerd* and *Juliette Catesby* in these words of appreciation.

Works Cited

Bachaumant, Louis Petit de, et al. *Mémoires secrets pour servir à l'histoire de la république des lettres en France depuis 1762 jusqu'à nos jours.* 36 vols. London: Adamson, 1777–89.

Bibliothèque universelle des romans. Feb. 1781.

Charrière, Isabelle de. *Lettres de Mistriss Henley publiées par son amie.* Ed. Joan Hinde Stewart and Philip Stewart. New York: MLA, 1993.

Genlis, Félicité de. *De l'influence des femmes sur la littérature française.* Paris: Maradan, 1811.

Graffigny, Françoise de. *Lettres d'une Péruvienne.* Ed. Joan DeJean and Nancy K. Miller. New York: MLA, 1993.

Grimm, Friedrich Melchior, et al. *Correspondance littéraire, philosophique et critique.* Vol. 4. Paris: Longchamps, 1813.

Kavanagh, Julia. *French Women of Letters: Biographical Sketches.* Vol. 2. London: Hurst, 1862.

Kibédi Varga, A. "Le désagrégation de l'idéal classique dans le roman française de la première moitié du dix-huitième siècle." *Studies on Voltaire and the Eighteenth Century.* Vol. 26. Geneva: Institut et Musée Voltaire, 1963. 965–98.

Laclos, Choderlos de. *Œuvres complètes.* Paris: Gallimard, 1979.

La Harpe, Jean-François de. *Cours de littérature.* Vol. 23. Paris: Hiard, 1834.

Mme M. "Mme Riccoboni." *Revue de Paris* 35 (1841): 207.

Nicholls, James C., ed. *Mme Riccoboni's Letters to David Hume, David Garrick, and Sir Robert Liston, 1764–1783. Studies on Voltaire and the Eighteenth Century.* Vol. 149. Oxford: Voltaire Foundation, 1976.

WORKS BY
Marie Riccoboni

Works Published in Her Lifetime

1777   *Lettres de Mylord Rivers à Sir Charles Cardigan,*
         entremêlées d'une partie de ses correspondances à
         Londres pendant son séjour en France

1779–80   *Histoire des amours de Gertrude et de Roger*

         Histoire d'Enguerrand, ou rencontre dans la forêt
         des Ardennes

         Histoire d'Aloïse de Livarot

         Histoire de Christine, reine de Suabe

1785   *Lettres de la marquise d'Artigues*

1786   *Histoire de deux jeunes amies*

Modern Editions

Histoire de M. le marquis de Cressy. Ed. Olga Cragg. *Studies on Voltaire and the Eighteenth Century* 266. Oxford: Voltaire Foundation, 1989.

Histoire d'Ernestine. Pref. Colette Piau-Gillot. Paris: Côté-Femmes, 1991.

Histoire du marquis de Cressy. Ed. Alix S. Deguise. Paris: Des Femmes, 1987.

Lettres de Mistriss Fanni Butlerd. Paris: Volland, 1786. Ed. Joan Hinde Stewart. Geneva: Droz, 1979.

Lettres de Mylady Juliette Catesby à Mylady Henriette Campley, son amie. Pref. Sylvain Menant. Paris: Desjonquères, 1983.

Lettres de Mylord Rivers à Sir Charles Cardigan. Ed. Olga Cragg. Geneva: Droz, 1992.

Suite de Marianne. La vie de Marianne. By Marivaux. Ed. Frédéric Deloffre. Paris: Garnier, 1990. 585–627.

SELECTED BIBLIOGRAPHY

André, Arlette. "Le féminisme chez Madame Riccoboni." *Studies on Voltaire and the Eighteenth Century* 193 (1980): 1988–95.

Cazenobe, Colette. "Le féminisme paradoxal de Madame Riccoboni." *Revue d'histoire littéraire de la France* 88 (1988): 23–45.

Cook, Elizabeth Heckendorn. "Going Public: The Letter and the Contract in *Fanni Butlerd*." *Eighteenth-Century Studies* 24 (1990): 21–45.

Coulet, Henri. "Quelques aspects du roman antirévolutionnaire sous la Révolution." *Revue de l'Université d'Ottawa / University of Ottawa Quarterly* 54.3 (1984): 27–47.

Crosby, Emily. *Une romancière oubliée: Madame Riccoboni.* Paris: Rieder, 1924.

Demay, Andrée. *Marie Jeanne Riccoboni ou de la pensée féministe chez une romancière du XVIIIe siècle.* Paris: La Pensée Universelle, 1977.

Flaux, Mireille. "La fiction selon Mme Riccoboni." *Dix-huitième siècle* 27 (1995): 425–37.

———. *Madame Riccoboni: Une idée du bonheur au féminin au siècle des Lumières.* Lille: U de Lille III, Atelier National de Reproduction des Thèses, 1991.

Hogsett, Alice Charlotte. "Graffigny and Riccoboni on the Language of the Woman Writer." *Eighteenth-Century Women and the Arts.* Ed. Frederick M. Keener and Susan E. Lorsch. New York: Greenwood, 1988. 119–27.

Kavanagh, Julia. *French Women of Letters: Biographical Sketches.* 2 vols. London: Hurst, 1862.

Lanser, Susan. *Fictions of Authority: Women, Writers and Narrative Voice.* Ithaca: Cornell UP, 1992.

Merlant, Joachim. *Le roman personnel de Rousseau à Fromentin.* Paris: Hachette, 1905.

Mooij, Anne Louis Anton. *Caractères principaux et tendances des romans psychologiques chez quelques femmes-auteurs, de Mme Riccoboni à Mme de Souza, 1757–1826.* Groningen: Drukkerij de Waal, 1949.

Nicholls, James C., ed. *Mme Riccoboni's Letters to David Hume, David Garrick, and Sir Robert Liston, 1764–1783.* Studies on Voltaire and the Eighteenth Century 149. Oxford: Voltaire Foundation, 1976.

Piau, Colette. "L'écriture féminine? À propos de Marie Jeanne Riccoboni." *Dix-huitième siècle* 16 (1984): 369–86.

Servien, Michèle. "Madame Riccoboni, vie et œuvre." 2 vols. Diss., U de Paris IV, 1973.

Sol, Antoinette. "Violence and Persecution in the Drawing Room: Subversive Sexual Strategies in Riccoboni's *Miss Juliette Catesby.*" *Public Space of the Domestic Sphere.* Ed. Servanne Woodward. Ontario: Mestengo, 1997. 65–76.

———. "Why Write as a Woman? The Riccoboni-Laclos Correspondence." *Women in French Studies* 3 (1995): 34–44.

Stewart, Joan Hinde. "Aimer à soixante ans: Les lettres de Madame Riccoboni à Sir Robert Liston." *Aimer en France, 1760–1860.* Vol 1. Clermont-Ferrand: Faculté des Lettres et Sciences Humaines de Clermont-Ferrand, 1980. 181–89.

———. *Gynographs: French Novels by Women of the Late Eighteenth Century.* Lincoln: U of Nebraska P, 1993.

———. *The Novels of Madame Riccoboni.* Chapel Hill: North Carolina Studies in the Romance Langs. and Lits., 1976.

Sturzer, Felicia Berger. "Literary Portraits and Cultural Critique in the Novels of Marie Jeanne Riccoboni." *French Studies* 50 (1996): 400–12.

Thomas, Ruth P. "Marie Jeanne Riccoboni." *French Women Writers.* Ed. Eva Martin Sartori and Dorothy Wynne Zimmerman. Westport: Greenwood, 1991. 357–68.

Trousson, Raymond, ed. *Romans de femmes du XVIIIe siècle.* Paris: Laffont, 1996.

Van Dijk, Suzan. "*L'histoire d'Ernestine,* d'après Marie Jeanne Riccoboni et d'après la *Bibliothèque universelle des romans.*" *Acts of the Journée Riccoboni, U de Paris–Sorbonne, March 1997.* Forthcoming.

———. "Lire ou broder: Deux occupations féminines dans l'œuvre de Mmes de Graffigny, Riccoboni, et de Charrière." *L'épreuve du lecteur.* Ed. Jan Herman and Paul Pelckmans. Louvain: Peeters, 1995.

———. "Marie-Jeanne Riccoboni en avance sur son époque? Une lecture par l'abbé de La Porte." *Eighteenth-Century Fiction* 8 (1996): 453–64.

Vanpée, Janie. "Dangerous Liaisons 2: The Riccoboni-Laclos Sequel." *Eighteenth-Century Fiction* 9 (1996): 51–70.

Zawisza, Elisabeth. "*Histoire d'Ernestine* de Mme Riccoboni ou l'art de la miniature." *Acts of the Xe Colloque International de la Société d'Analyse de la Topique Romanesque (la SATOR), Johannesburg, September 1996.* Ed. Michèle Weil and Nathalie Ferrand. PU de Montpellier. Forthcoming.

ABOUT THE TEXT

When Denis Humblot, Riccoboni's principal publisher, published *Ernestine* along with short pieces by her in 1765, he included a letter from Riccoboni that said:

> Non, assurément, mes lettres ne sont pas faites, elles ne sont pas même avancées. Vous me pressez en vain; je ne veux point fixer un temps, dans la crainte de manquer à ma parole, ou de me gêner beaucoup pour la tenir: mon habitude est de ne prendre jamais d'engagements.
>
> La petite histoire d'Ernestine est prête, il est vrai; je consens à vous la donner: mon dessein était de la placer ailleurs; n'importe . . .
>
> Avec un air doux, un naturel honnête, vous êtes raisonnablement entêté; puisque vous m'impatientez pour avoir ces misères-là, je ne prétends pas vous désobliger. Imprimez donc, Monsieur Humblot, passez-en votre fantaisie; voilà le manuscrit d'Ernestine: je le regrette un peu, je ne le destinais point à accompagner ces espèces de fragments; mais enfin je vous l'abandonne. Je vous souhaite le bonjour, et un heureux succès.   (*Recueil* iv)[1]

To publish this letter was to concede that he was pressing Riccoboni and that she resented the lack of control over completion of her works to her own satisfaction. It appears from this letter that she coughed up *Ernestine* to buy a bit of peace over the next full-length novel Humblot was expecting from her.

The letter apparently spawned several later misunderstandings about the dating of *Ernestine.* The Didot edition of 1814 begins with a "Notice sur Madame Riccoboni," which seems to place *Ernestine* right after *Catesby,* around 1760:

> *Ernestine* suivit *Mylady Catesby.* C'est encore un ouvrage charmant, dont le seul défaut est d'être trop court. La Harpe appelle *Ernestine* le diamant de Madame Riccoboni; mais Madame Riccoboni a beaucoup de diamants.
>
> Encouragée par le succès de ces romans, et d'ailleurs ayant perdu les agréments de la jeunesse, Madame Riccoboni quitta le théâtre en 1761.
>
> (Riccoboni, *Histoire du marquis* xix)

No evidence is adduced for this particular juxtaposition of events. The notice goes on to mention *Amélie* (1762) and the *Lettres de Sancerre* (1767).

A certain Weiss, author of the article on Riccoboni in the Michaud *Biographie universelle,* apparently combines these two sources to situate *Ernestine* between Riccoboni's renunciation of the theater in 1761 and *Amélie.* Weiss makes the following assertion: "Pressée par ses libraires, elle ne tira pas du joli sujet d'*Ernestine* tout le parti dont il était susceptible. Cependant La Harpe regarde ce petit roman comme le diamant de Madame Riccoboni" (*Biographie* 533). It does not occur to him to specify when the novel might have been published. Doubtless following

Weiss, Brissot-Thivars in his own "Notice sur Madame Riccoboni" in 1826 assumed that *Histoire d'Ernestine* had in fact preceded *Amélie*:

> En 1762, Madame Riccoboni fit paraître *Amélie*; elle était, dit-on, pressée par des libraires; déjà l'avaient harcelée, lorsqu'elle travaillait au plan d'*Ernestine*; c'est à leurs instances qui ont hâté le travail de l'auteur, que l'on impute les négligences, les défauts que la critique a reprochés à ces deux ouvrages; il est probable que les libraires et l'auteur avaient un même but, celui de mettre à profit l'impatience et la curiosité du public. La spéculation fut heureuse; *Amélie* obtint presqu'autant de succès qu'*Ernestine*.
> (Riccoboni, *Œuvres* 1: xviii–xix)

This mistaken dating of *Ernestine* is repeated in the *Nouvelle biographie générale* in 1863 (Morel 154), but in fact no evidence for a date of composition or publication earlier than 1765, or any reason to doubt the sincerity of Riccoboni's published letter to Humblot, has ever been put forward.[2] Nor, in fact, did she in any way justify the interpretation that *Ernestine* was written quickly, much less that her haste accounts for its shortcomings. On the contrary, Riccoboni distinctly states that she refuses to be rushed, but that *Ernestine* is ready. La Harpe himself recognizes it as "un morceau fini." Despite so many repetitions of this threadbare story, *Ernestine* was not the victim at all of Humblot's impatience, except in the very limited sense, about which Riccoboni is equally clear, that she had intended to publish it elsewhere. Where, we don't know.

The "fragments" published in 1765 by Humblot were entitled *Recueil de pièces détachées* and included, with *Ernestine*, the *Suite de Marianne, L'abeille, L'aveugle,* and *Lettres de la princesse Zelmaïde.* (Another 1765 edition, brought out in Liège by D. de Boubers, was entitled *Les vrais caractères du sentiment, ou histoire d'Ernestine.*) The same grouping as in the original Humblot edition was used in 1772. *Histoire d'Ernestine* appeared in editions alone or in combination with other works in 1766, 1772, 1814, 1821, 1826, 1828, 1835, 1849 (this edition was reissued in 1863, 1866, 1870), and 1853, and in editions of Riccoboni's collected works in 1773, 1781, 1783, 1786, 1787, 1790, 1792, 1808–09, 1818, and 1826. In 1991 the novel was published by Côté-Femmes (Paris), with a preface by Colette Piau-Gillot.

The present edition is based on the text appearing in volume 5 (pp. 1–86) of the 1786 edition of Riccoboni's complete works (Paris: Volland, 8 vols.), the last to have been corrected by the author. Spelling has been modernized, and to some degree punctuation, particularly by the addition of quotation marks, the use of which was not current in 1765.

We wish to thank Mireille Flaux and Michèle Servien for their help; and Alexander DeGrand, Larysa Mykyta, Donald S. Petrey, James Rolleston, English Showalter, and Paul Sorum for reading the manuscript and making suggestions. We are especially grateful to Martha Evans and Michael Kandel for their help and encouragement throughout the editing of *Histoire d'Ernestine.*

Notes

[1]"[M]es lettres ne sont pas faites" refers to *Lettres d'Adélaïde de Dammartin, comtesse de Sancerre,* which was to appear in 1767. When Humblot republished *Ernestine* in 1766, he modified the phrase "je ne le

destinais point à accompagner ces espèces de fragments" to read: "je ne le destinais point à aller seul" (Riccoboni, *Histoire d'Ernestine* 4).

[2]Michèle Servien concludes in her painstakingly researched thesis that *Ernestine*, "écrit pendant le premier trimestre de l'année 1765, répondait alors aux préoccupations de Madame Riccoboni" (141).

Works Cited

Biographie universelle ancienne et moderne. Vol. 37. Paris: Michaud, 1824.

Morel, Jean. "Riccoboni." *Nouvelle biographie générale.* Vol. 42. Paris: Didot, 1863. 153–55.

Riccoboni, Marie. *Histoire d'Ernestine.* Paris: Humblot, 1766.

———. *Histoire du marquis de Cressy suivie d'Ernestine.* Paris: Didot, 1814.

———. *Œuvres.* 8 vols. Paris: Brissot-Thivars, 1826.

———. *Recueil de pièces détachées.* Paris: Humblot, 1765.

Servien, Michèle. "Madame Riccoboni, vie et œuvre." Vol. 1. Diss. U of Paris IV, 1973.

MARIE RICCOBONI

Histoire d'Ernestine

Une étrangère, arrivée depuis trois mois à Paris, jeune, bien faite, mais pauvre et inconnue, habitait deux chambres basses au faubourg Saint-Antoine[1] : elle s'occupait à broder, et vivait de son travail. Revenant un soir de vendre son ouvrage, elle se trouva mal en rentrant dans sa maison. On s'efforça vainement de la secourir, de la ranimer ; elle expira sans avoir repris ses sens, ni laissé apercevoir aucune marque de connaissance.

Ses voisines, effrayées de ce terrible accident, remplirent sa triste demeure de cris et d'exclamations ; elles s'appelaient les unes et les autres, et se répétaient, « Christine, hélas ! la pauvre Christine ! »

Une bourgeoise, dont le jardin se terminait au mur de la maison d'où s'élevait ce bruit, attirée par le désir d'être utile à celles qui gémissaient si haut, fut elle-même s'informer de la cause de leurs clameurs ; on l'en instruisit.

---

[1]*Faubourg* signifie banlieue ; le faubourg Saint-Antoine est situé à l'est de Paris, juste au-delà de l'ancienne Bastille ; c'était un quartier ouvrier, connu en particulier pour ses artisans du meuble et des métiers décoratifs.

Pendant qu'on lui parlait, ses yeux se fixèrent sur une petite fille âgée de trois ou quatre ans ; cette innocente créature pleurait près de la morte, l'appelait, la tirait par sa robe, et lui criait, « Ma mère, éveillez-vous ! ma mère, éveillez-vous donc ! »

Le cœur de la sensible voisine s'émut à ce spectacle. Elle s'avança, prit la petite dans ses bras, la caressa, essuya ses larmes. La beauté de l'enfant redoubla son attendrissement. Elle envoya chercher un homme de justice, donna de l'argent pour faire inhumer l'étrangère. Ayant rempli toutes les formalités nécessaires au dessein de se charger de la jeune orpheline, elle la prit par la main et la conduisit chez elle.

Celle dont le bon cœur éclatait par cet acte d'humanité, se nommait Madame Dufresnoi. Veuve d'un marchand peu riche, elle s'était arrangée avec la famille de son mari : contente de trois mille livres de rentes viagères,[2] elle venait d'abandonner à des enfants d'un premier lit des droits assez considérables sur leur succession. Ce procédé généreux lui procura la satisfaction de voir établir

---

[2]La livre ou *livre tournois* n'est pas vraiment la même chose que la livre (*pound*) sterling, n'en ayant qu'une fraction de la valeur ; une *rente viagère* est un revenu fixe payable jusqu'à la fin de la vie de la personne sur qui elle est établie. Trois mille livres représente un niveau de vie plutôt minimal, au-dessus de la pauvreté mais dénué d'agréments superflus, y compris des servants.

convenablement[3] les filles d'un honnête homme dont elle chérissait la mémoire.

La petite étrangère s'appelait Ernestine. Elle était Allemande, et ne paraissait pas née dans la bassesse. Elle s'exprimait difficilement en français. A force de l'interroger, on comprit par ses discours qu'un méchant mari avait contraint l'infortunée Christine à quitter sa maison et sa patrie, et jamais on n'en apprit davantage.

Ernestine pleura sa mère, la demanda souvent dans les premiers jours qui suivirent sa mort. Elle l'oublia, grandit, se forma, devint belle : sa taille svelte et légère, des yeux noirs pleins de feu, de beaux cheveux cendrés, des dents blanches et bien rangées, un souris[4] doux et tendre, des grâces, un esprit naturel, la rendaient à douze ans une fille charmante. Elle reçut une éducation simple, apprit à chérir la sagesse, à regarder l'honneur comme la loi suprême ; mais vivant très retirée, ses idées ne purent s'étendre ; elle n'acquit aucune connaissance du monde, et conserva longtemps cette tranquille et dangereuse ignorance des vices qui, éloignant de notre esprit la crainte et la triste défiance, nous porte à juger des autres d'après nous-mêmes, et nous fait regarder tous les humains comme des créatures disposées à nous chérir et à nous obliger.

---

[3]C'est-à-dire que la famille retenait une fortune suffisamment grande pour les doter en mariage.
[4]Sourire (forme vieillie).

Madame Dufresnoi, tendrement attachée à cette jeune personne, songeait avec douleur à l'état où elle se trouverait peut-être un jour : que ferait Ernestine, si la mort de son amie la laissait sans secours ? Ne pouvant assurer son sort, elle voulut au moins lui donner un talent capable de lui procurer les besoins de la vie et même avec un peu d'aisance. Elle choisit la miniature,[5] et fit venir chez elle un peintre, pour lui apprendre le dessin. Attentive, intelligente et docile, Ernestine s'appliqua, montra de grandes dispositions, les cultiva, fit des progrès, et promettait de devenir habile, quand Madame Dufresnoi, attaquée d'une fièvre maligne, fut en peu de moments réduite à la dernière extrémité ; elle mourut le cinquième jour de sa maladie.

Henriette Duménil, sœur du peintre qui montrait à Ernestine, était liée d'amitié avec Madame Dufresnoi ; elles logeaient près l'une de l'autre et se voyaient assez souvent. Henriette avait environ trente ans ; élevée par une de ses parentes, femme riche et répandue dans le monde, elle joignait à un naturel fort aimable, cet agrément que donne l'habitude de vivre au milieu d'un cercle poli. Point de bien, peu de beauté, beaucoup d'esprit, l'éloignaient du mariage. La bonté de son caractère,

---

[5]Art de peindre en très petit format, par exemple des portraits en médaillons ou des paysages sur de petites boîtes ; un portrait en miniature pouvait servir de gage d'amour.

l'honnêteté de ses mœurs, et sa probité connue, lui atta-
chaient de sincères et de constants amis.

Henriette ne quitta pas Madame Dufresnoi pendant sa
maladie, et quand il en fut temps, elle arracha la désolée
Ernestine d'auprès de son lit, la conduisit chez sa parente, et s'enferma avec elle dans son appartement. Elle
laissa couler ses larmes, en répandit aussi, et lui accorda
cette douceur nécessaire à un cœur affligé, cette liberté
de se plaindre, de gémir, que des consolateurs insensibles
ou maladroits croient devoir gêner, restreindre, nous ôter
même ! Ce zèle approche de la dureté : une tranquille raison, de vains discours, de froides considérations blessent
une âme accablée du poids de sa douleur. Eh d'où vient,[6]
eh, pourquoi vouloir persuader à un malheureux que le
trait dont il se sent déchirer doit à peine laisser des traces
de son passage ?

Henriette, nommée exécutrice testamentaire par Madame Dufresnoi, s'acquitta fidèlement de cet office : on
vendit les meubles et les effets au profit d'Ernestine, et
on plaça sur sa tête une somme de huit mille livres qu'ils
rapportèrent.[7] Il fallait lui chercher un asile décent et con-
venable ; Henriette ne pouvait la garder. Monsieur Duménil, attaché à son élève, engagea sa femme à la prendre

---

[6]Pourquoi (locution à la mode).
[7]Cela veut dire que les huit mille livres procurées par la vente furent
investies au nom d'Ernestine.

7

chez elle. Cet honnête homme se contenta d'une très petite pension, promit de cultiver ses dispositions et de la rendre capable de se soutenir par son talent. Ernestine accepta ses offres avec reconnaissance, et deux mois après la mort de sa bienfaitrice, Henriette la conduisit dans la maison de son frère.

La douleur d'Ernestine était plus profonde qu'on ne devait l'attendre d'une personne de son âge : elle pleurait Madame Dufresnoi, elle la pleurait amèrement, sans pourtant envisager toutes les conséquences de la perte qu'elle faisait en elle. Ses larmes avaient pour objet le regret d'être à jamais séparée d'une femme douce, bonne, attentive ; d'une tendre, d'une indulgente compagne. Madame Duménil n'était pas d'un caractère à la dédommager de sa première amie : légère, étourdie, folle même, elle riait de tout, ne s'intéressait à rien ; confondait la tristesse avec l'humeur, et ne voyait dans une personne affligée qu'une personne ennuyeuse.

Cette femme, âgée de vingt-six ans, avait un goût décidé pour la dissipation et l'amusement ; très bornée dans sa dépense, elle ne pouvait se procurer les plaisirs dont elle était avide, ni consentir à s'en priver. Elle chercha les moyens de satisfaire ses désirs malgré son peu de fortune, et devint l'amie complaisante de plusieurs femmes d'une conduite peu exacte.[8] Monsieur Duménil, bon, simple,

---

[8]C'est-à-dire qu'elle les secondaient dans leurs aventures amoureuses.

occupé de son talent, du soin de ménager une poitrine délicate, une santé faible et souvent languissante,[9] laissait vivre sa femme à sa propre fantaisie. Une gouvernante âgée et raisonnable conduisait la maison, avait de grandes attentions pour son maître. Madame Duménil allait au spectacle, à la promenade, soupait dehors, rentrait tard, dormait une partie du jour ; et, comme son mari ne le trouvait point mauvais, rien ne l'engageait à se contraindre. L'élève de Monsieur Duménil, appliquée à son étude, la rencontrait à peine deux fois en un mois ; et quand elles se parlaient, c'était avec politesse, mais avec une mutuelle indifférence.

Ernestine passa trois années chez son maître, sans que rien troublât la paisible uniformité de sa vie. Parvenue au degré de perfection où Monsieur Duménil pouvait la conduire, un goût naturel lui fit passer de bien loin ses leçons ; il s'en aperçut avec plaisir. Comme il était souvent malade, incapable de travailler lui-même, il pensa à faire connaître le talent de son écolière : il engagea plusieurs de ses amis à se laisser peindre par elle, et ces essais commencèrent à lui donner de la réputation.

Un jour que, seule dans le cabinet de Monsieur Duménil, elle achevait les ornements d'une miniature qu'il devait livrer incessamment, elle entendit ouvrir la porte, se

---

[9] La *langueur* est un état de torpeur, d'incapacité de se remuer.

tourna, vit un homme dont la parure et l'air distingué pouvaient attirer l'attention. Par une suite de l'application d'Ernestine à son ouvrage, elle fut seulement frappée de trouver en lui l'original du portrait où elle travaillait. Elle le salua sans lui parler ; une simple inclination, un signe de sa main l'invitèrent à s'asseoir ; il obéit en silence. Ernestine fixa ses regards sur lui, les baissa ensuite sur la miniature, et pendant assez longtemps ses yeux se promenèrent alternativement sur l'aimable cavalier et sur son image.

Cette singularité causa autant de plaisir que de surprise au marquis de Clémengis. Il venait presser Monsieur Duménil de lui donner ce portrait, une dame l'attendait avec impatience. Il avait cru trouver le peintre dans ce cabinet où il travaillait ordinairement ; y voir à sa place une fille charmante, occupée à considérer ses traits, si parfaitement attachée à contempler son image qu'elle semblait se plaire à la regarder : c'était une espèce d'aventure, simple, mais agréable ; elle l'amusa, l'intéressa, et lui fit une impression très vive.

Pendant qu'Ernestine continuait à comparer l'original et la copie, le marquis admirait les grâces répandues sur toute sa personne. Impatient de l'entendre parler, il souhaitait que son éducation et son esprit répondissent à une figure si séduisante. Il allait commencer l'entretien, quand Monsieur Duménil arriva et lui fit de longues excuses sur ce qu'il ne pouvait encore livrer le portrait. Le marquis, déjà moins pressé de le donner, interrompit le peintre, et voulant se procurer encore la douceur de voir les yeux d'Ernestine se fixer sur les siens, il feignit de n'être pas content, trouva des défauts de ressemblance, de dessin, de coloris ; et comme il blâmait au hasard, la jeune élève de Monsieur Duménil ne put s'empêcher de rire de ses observations.

Le marquis la pria d'examiner avec attention s'il se trompait. Elle le voulut bien. Il se plaça vis-à-vis d'elle, et après y avoir mis toute son application, Ernestine jugea la copie parfaite. Monsieur de Clémengis s'obstina, elle ne céda point ; le son de sa voix, la justesse de ses expressions, un peu de vivacité excitée par les fausses remarques du marquis, achevèrent de l'enchanter. Il demanda une copie de son portrait, exigea qu'elle fût entièrement de la main d'Ernestine. Le peintre le promit. Monsieur de Clémengis, manquant enfin de prétexte pour prolonger le plaisir de rester avec Ernestine, sortit à regret de ce cabinet, et Monsieur Duménil, l'accompagnant jusqu'à son carrosse, satisfit sa curiosité en l'instruisant du sort de son élève.

Celui que le hasard venait d'offrir aux yeux d'Ernestine joignait à mille agréments extérieurs un caractère rare, et peut-être un peu singulier. Monsieur de Clémengis, descendu d'une maison ancienne et distinguée, n'était pas né riche : ses espérances de fortune dépendaient de la révision d'un procès, sollicitée depuis près d'un siècle par ses pères. Son bonheur avait placé dans le ministère un de ses proches parents ; chéri de cet homme puissant, le marquis jouissait de tous les avantages attachés à la faveur, mais il n'en abusait pas. Plus sensible que vain, plus libéral que fastueux, son âme noble et délicate appréciait la grandeur et la richesse par le pouvoir qu'elles donnent de faire des heureux. Un naturel doux et tendre le portait à désirer des amis ; il trouvait des flatteurs, les servait, et les dédaignait : il découvrait un sentiment intéressé dans tous ceux dont il se voyait caressé. L'amour même ne lui donnait point de plaisirs sans mélange ; s'il goûtait un instant la satisfaction de se croire choisi, préféré ; d'importunes demandes, des sollicitations pressantes et réitérées, lui laissaient bientôt apercevoir que son crédit attirait autant que sa personne. Depuis longtemps il cherchait en vain un cœur capable de l'aimer pour lui-même, et s'affligeait de ne pouvoir le trouver.

Pendant qu'Ernestine s'occupait à copier le portrait du marquis, elle recevait sa visite tous les matins, et n'attribuait son assiduité qu'au motif dont il la couvrait. Rien n'avait préparé son esprit à la défiance ; elle ignorait le danger où la vue d'un homme aimable pouvait l'exposer, et la simplicité de ses idées la laissait dans une parfaite sécurité. Quand on n'a jamais senti le désir de plaire, on plaît longtemps sans s'en apercevoir, et l'amour qui se cache ressemble tant à l'amitié qu'il est facile de s'y méprendre.

Monsieur de Clémengis, chaque jour plus charmé d'Ernestine, voyait avec chagrin que l'ouvrage avançait ; pour se conserver le plaisir d'aller souvent chez le peintre, il résolut d'apprendre un art qu'il commençait à aimer. Monsieur Duménil, faible alors, condamné à périr bientôt d'un mal incurable, se trouvait rarement en état de diriger les essais du marquis ; sa charmante élève fut chargée de ce soin. Elle apprenait à cet écolier docile à tenir, à guider ses crayons, lui enseignait à imiter les traits qu'elle-même formait ; souvent elle riait de sa maladresse, quelquefois elle le grondait, l'accusait de peu d'intelligence, se plaignait de ses distractions, et lui montrant deux petites filles, qui dessinaient dans la même chambre, elle lui reprochait de profiter moins de ses leçons que ces enfants.

Jamais le marquis n'avait passé de moments si agréables ; la douceur de s'entretenir familièrement avec une fille de seize ans, belle sans le savoir, modeste sans affectation, amusante, vive, enjouée, à laquelle son rang, sa fortune, ou son crédit n'imposaient aucun égard ; qui laissait paraître une joie naturelle à son aspect ; dont l'innocence et l'ingénuité rendaient tous les sentiments libres et vrais ; être assis tout près d'elle, la nommer sa maîtresse,[10] lui voir prendre une espèce d'autorité sur lui ; s'empresser à la contenter, à lui plaire, sans en avouer le

---

[10]Féminin de « maître », le titre qu'on donne à un tuteur.

13

dessein, se flatter d'y réussir : c'était pour le marquis de Clémengis une occupation si intéressante, qu'insensiblement il devint incapable de goûter tous ces vains amusements dont l'oisiveté cherche à se faire des plaisirs.

Madame Duménil, que l'état fâcheux de son mari forçait à rester chez elle, s'aperçut de l'amour du marquis ; elle lui montra une humeur complaisante, eut de longs entretiens avec lui, gagna sa confiance, entra dans ses vues ; et contente de sa générosité, elle commença à traiter Ernestine comme une personne dont elle se reprochait d'avoir longtemps négligé la société. Elle lui fit de tendres caresses, voulut connaître ses besoins, ses désirs, s'empressa à les satisfaire. Chaque jour rendait la situation d'Ernestine plus douce et plus agréable ; sa reconnaissance lui fit oublier la longue froideur de cette femme, ses bontés la touchèrent ; elle lui pardonna une légèreté d'esprit, dont après tout, elle n'avait jamais souffert. Quand les défauts des autres ne nous nuisent pas, il est rare qu'ils nous choquent beaucoup. Comme Madame Duménil était gaie, complaisante, et qu'un secret intérêt l'engageait à se faire aimer d'Ernestine, elle inspira aisément de l'amitié à une fille sensible, qui croyait tenir d'elle l'aisance dont elle commençait à jouir.

Monsieur Duménil touchait à ses derniers moments ; la certitude de sa mort faisait couler les larmes de sa tendre élève, et souvent le marquis la trouvait tout en pleurs.

Une vive inquiétude se mêlait à son chagrin : Henriette, partie depuis deux mois pour la Bretagne,[11] cessa tout à coup de lui donner de ses nouvelles ; elle lui manquait dans un temps où ses conseils lui devenaient nécessaires. Ernestine lui écrivit plusieurs fois et ne reçut aucune réponse ; ce silence l'affligea : son amie était-elle malade ? négligeait-elle de l'instruire du parti qu'elle devait prendre après la mort de son maître ? Elle en parla à Madame Duménil, qui la rassura sur la santé d'Henriette, et la gronda doucement de lui demander des avis dont elle n'avait pas besoin. « Me croyez-vous capable de vous abandonner ? » lui dit-elle d'un ton affectueux ; « songez-vous à me quitter ? Non, ma chère Ernestine, nous ne nous séparerons point ; vous partagerez ma fortune, elle est peut-être assez étendue pour vous rendre heureuse : j'ai des ressources qui vous sont inconnues. Gardez le silence sur ce secret ; cessez de vous alarmer, et ne regrettez plus les avis d'Henriette ; ils ne pourraient que déranger le plan tracé pour votre bonheur. »

Ces discours, souvent répétés, dissipèrent l'inquiétude d'Ernestine ; mais son cœur fut blessé de l'oubli d'Henriette. En partant elle lui avait promis de s'intéresser toujours à son sort, de lui procurer un asile si son frère

---

[11]On est censé comprendre que la « riche parente », appelée plus loin « cousine » mais aussi « parente éloignée », possède une terre en Bretagne, où elle et Henriette font quelquefois des séjours prolongés.

mourait. Elle ne pouvait accorder un procédé si froid avec le caractère d'Henriette ; mais l'attachement qu'elle prenait pour Madame Duménil affaiblit peu à peu ce chagrin, et sans le vouloir le marquis aida lui-même à l'en distraire.

Le temps approchait où Monsieur de Clémengis allait s'éloigner : le régiment qu'il commandait venait de passer en Italie ; il fallait bientôt partir pour s'y rendre. Malgré ses efforts, Ernestine s'aperçut de sa tristesse. Rêveur, inquiet, il gardait un morne silence ; le changement de son humeur la surprit, et ses distractions la fâchèrent. Il passait le temps de sa leçon à soupirer, à se plaindre d'une douleur intérieure, d'une peine secrète et violente. Ernestine se sentit touchée de l'état où elle le voyait ; elle lui en demanda la cause avec intérêt, le pressa de la lui confier ; mais voyant que ses questions le rendaient plus triste encore, elle cessa de l'interroger, sans cesser de s'occuper de son chagrin. Elle y pensait à tous moments, attendait impatiemment l'heure où le marquis devait venir ; portait sur lui des regards curieux et attentifs, et le trouvant toujours sombre, elle baissait les yeux, craignait de rencontrer les siens, n'osait lui parler, et se demandait tout bas : « Qu'a-t-il donc ? je le croyais si heureux ! hélas ! aurait-il cessé de l'être ? »

Pendant qu'elle partageait la douleur du marquis, sans en connaître le principe, il s'occupait du soin généreux de fixer pour jamais son sort, de le rendre heureux et indé-

pendant. Madame Duménil, engagée par une grande récompense à paraître répandre sur son amie les biens dont
Monsieur de Clémengis allait la faire jouir, ne pouvait
comprendre l'étrange conduite d'un amant[12] si libéral et
si discret.

« Comment espérez-vous toucher le cœur d'Ernestine »,
lui disait-elle, « si vous lui cachez la passion qu'elle vous
inspire ? Vous l'enrichissez, et vous voulez lui laisser ignorer votre amour et vos bienfaits ? » « Ah ! puisse-t-elle les
ignorer toujours, ces bienfaits ! » répondit-il. « Je veux lui
plaire et non pas la séduire ; la rendre libre, et jamais la
contraindre ou l'asservir : j'aime à la voir me montrer une
innocente affection, s'attacher à moi sans dessein, sans
projet, sans crainte, sans espérance ! Un tendre intérêt se
peint dans ses yeux depuis qu'elle s'aperçoit de ma tristesse, elle m'aime peut-être ! Imposerais-je des lois à cette
fille charmante ? En excitant sa reconnaissance, je gênerais
son inclination, je m'ôterais la douceur de penser que je
possède un cœur qui ne prise en moi, que moi-même. »

Monsieur de Clémengis répéta alors à Madame Duménil toutes les instructions qu'il lui avait déjà données
sur la façon dont elle se conduirait après la mort de son
mari. Elle promit de se conformer à ses intentions : de
garder fidèlement son secret, et de lui apprendre par ses

---

[12]Dans le français classique, *amant* signifie tout simplement *amoureux*.

17

lettres ce qu'Ernestine penserait du changement de sa situation. Peu de jours après cet entretien, Monsieur de Clémengis fut contraint de s'éloigner. Le lendemain de son départ, à l'heure où il se rendait ordinairement chez Ernestine, elle reçut de sa part une boîte fort riche ; elle renfermait le portrait que Monsieur Duménil avait fait du marquis, et ce billet :

Le marquis de Clémengis à Ernestine

Je vous quitte, ma charmante maîtresse ; un devoir indispensable m'arrache à la douceur de vous voir, de profiter de vos soins, de vos bontés. Mais je n'oublierai point vos leçons ; pendant une longue et triste absence, ma seule consolation sera de me les rappeler. Dans vos moments de loisir, daignez vous occuper à regarder ce portrait, à le copier ; multipliez l'image d'un ami dont le cœur vous est tendrement attaché ; conservez son souvenir, et souhaitez quelquefois de le revoir.

Ernestine sentit de l'émotion et de la douleur en lisant ce billet. Pourquoi Monsieur de Clémengis s'éloignait-il sans prendre congé d'elle ? sans lui dire qu'il partait ? Elle lut plusieurs fois sa lettre, toujours révoltée du mystère de sa conduite ; insensiblement elle s'attendrit, le regret succéda au dépit. Elle s'était fait une douce habitude de voir le marquis, de lui parler, de passer des heures entières avec lui. Quelle privation ! Elle perdait jusqu'au plaisir de l'attendre.

Ses yeux mouillés de quelques larmes s'attachèrent sur le portrait ; elle le considéra longtemps, mais ne l'examinant plus en artiste, elle trouva que Monsieur de Clémengis avait eu raison de se plaindre de cet ouvrage. « Voilà ses traits », disait-elle, « sa physionomie ; mais où est l'âme, la vivacité de cette physionomie ? où sont ces regards si doux, où l'amitié se peint ? Combien d'agréments négligés ! Est-ce là ce souris fin et tendre, cet air de bonté, de grandeur ? Où sont tant de grâces dont j'aperçois à peine une faible esquisse ? » En parlant, Ernestine repoussait tous les dessins qui étaient sur sa table, cherchait ses crayons, et, remplie de l'idée du marquis, elle se flattait d'en tracer de mémoire une image plus exacte.

Ce travail intéressant fut interrompu peu de jours après par la mort du pauvre Duménil. Ernestine, tendrement attachée à cet homme, le regretta sincèrement. Sa veuve, pressée d'abandonner un lieu propre à exciter la tristesse, sentiment qu'elle craignait, se hâta de charger un de ses parents du soin de ses affaires, et dès que la bienséance le lui permit, elle se rendit avec Ernestine à trois lieues de Paris,[13] dans une maison charmante. Plusieurs valets, prévenus de leur arrivée, se présentèrent pour les recevoir et s'empressèrent à les servir.

Ernestine pleurait encore ; elle se rappelait sans cesse la douceur et l'amitié que son maître lui avait toujours

_____

[13]Une lieue fait à peu près cinq kilomètres.

montrées. Cependant l'aspect riant et magnifique de ce beau séjour suspendit son chagrin ; les appartements, les jardins, la vue, l'émail et le parfum des fleurs, tout surprit ses sens, tout charma ses regards. « Eh ! qui vous a donc prêté cette agréable demeure ? » dit-elle à son amie. « Ceux qui l'habitent doivent se trouver bien heureux ! »

« Si la liberté d'y vivre vous paraît un bonheur », répondit Madame Duménil, « jouissez-en, ma chère amie, et ne craignez pas de le perdre : je dispose actuellement d'une fortune assez considérable ; cette jolie terre en fait partie, et vous en êtes la maîtresse. » Alors elle lui conta une petite histoire adroitement préparée pour lui persuader que son mariage, contracté malgré ses parents, l'avait privée de ses biens pendant la vie de son mari.

Rien ne portait Ernestine à douter de la sincérité de cette femme ; elle ne connaissait ni les lois ni les usages, elle la crut sans hésiter, la félicita de l'heureux changement de sa situation, et se sentit vivement touchée des assurances que Madame Duménil lui donnait de partager avec elle toutes les douceurs de son nouvel état.

Pour contenter son amie, Ernestine fut obligée d'occuper le plus bel appartement, d'accepter de riches présents, de se prêter aux soins d'une femme de chambre destinée à la servir seule ; il fallut se laisser parer. Madame Duménil dirigea l'emploi de son temps, et voulut obstinément que sa toilette en remplît une partie. On lui apprit à relever ses charmes par tout ce qui pouvait en augmenter l'éclat. Insensiblement cet art lui devint facile et agréable, elle se plut, elle s'aima même ; mais ce fut avec une modération dont son heureux naturel la rendait capable en tout. Un maître à danser vint lui enseigner à développer les grâces de sa personne ; on lui donna des leçons de musique, ses mains adroites s'accoutumèrent bientôt à parcourir les touches d'un clavecin ; une oreille parfaite la conduisit en peu de temps à unir les sons de sa voix légère à leur harmonie. Le désir de plaire à Madame Duménil aidait beaucoup à ses progrès ; souvent aussi elle était animée par le plaisir de penser qu'à son retour le marquis de Clémengis la trouverait plus instruite, plus aimable, plus digne de son amitié.

En s'éloignant d'Ernestine, cet amant délicat s'était proposé de lui écrire souvent ; mais éprouvant une extrême difficulté à le faire sans se livrer à toute la tendresse de son cœur, il se contentait de recevoir des lettres de Madame Duménil : elles l'instruisaient chaque semaine de la santé d'Ernestine et de ses occupations ; il apprit avec ravissement qu'elle employait tous les moments dont elle disposait à commencer des copies de son portrait, ou à retoucher celui qu'elle s'obstinait à faire sans modèle.

Deux personnes qui pensent différemment ne se trouvent pas également heureuses en jouissant des mêmes avantages. Madame Duménil, gênée par ses promesses, regrettait souvent ses anciennes amies et la vie bruyante de la ville ; ses amusements se bornaient à de longues promenades : une jolie voiture, un très bel attelage, lui servaient à parcourir toutes les campagnes des environs. Quelquefois elle se repentait de s'être engagée à tenir une conduite si peu conforme à son goût ; mais les avantages qu'elle retirait de sa complaisance, et l'espoir de retourner à Paris au commencement de l'hiver, lui aidaient[14] à supporter l'ennui de sa solitude.

Ernestine, accoutumée à la retraite, vivait parfaitement contente ; tout dans la nature présentait à ses yeux un spectacle agréable et intéressant : le lever de l'aurore, le soir d'un beau jour, les bois, les prés, le chant des oiseaux, les productions variées de la terre, offraient à son esprit paisible ou des objets de plaisir, ou le sujet d'une tendre rêverie. Son penchant pour Monsieur de Clémengis animait son cœur sans le troubler ; lui faisait goûter une partie des douceurs que donne le sentiment, sans y mêler l'agitation violente qui s'élève des passions. Elle souhaitait de revoir le marquis, mais une impatiente ardeur ne rendait pas ce désir un mouvement pénible. Dans cette position tranquille, qui pouvait engager Ernestine à porter ses vues au-delà des apparences ? Une situation heureuse ne conduit point à réfléchir ; pourquoi voudrait-on approfon-

---

[14]*L'aidaient*, en français moderne.

dir la cause du bonheur dont on jouit ? Le bien-être nous paraît un état naturel ; son interruption nous trouble, nous agite ; le malheur nous instruit, étend nos idées, rend notre âme inquiète et notre esprit actif, parce que la douleur nous fait chercher en nous-mêmes des forces pour la supporter, ou des ressources pour nous en affranchir.

Dès l'ouverture de la campagne, les préliminaires de la paix étaient avancés ; les armées n'avaient ordre que de s'observer ; vers le milieu de l'été elles reçurent celui de se séparer, et nos troupes repassèrent les monts. Le marquis de Clémengis, resté malade à Turin, n'arriva à Paris qu'au commencement de l'automne. Après s'être acquitté de ses devoirs les plus pressants, il céda au désir de revoir l'objet de sa tendresse, et partit pour la riante habitation que sa générosité avait rendu le domaine d'Ernestine.

Elle était seule quand on lui annonça le marquis ; à son nom, elle poussa un cri de joie, se leva, courut à sa rencontre, lui fit mille questions, et laissa paraître ingénument tout le plaisir qu'elle sentait de le revoir.

Emu, pénétré de cet accueil, Monsieur de Clémengis resta un peu de temps sans parler ; il considérait Ernestine avec autant d'étonnement que de satisfaction. Elle s'était toujours offerte à ses regards dans un négligé propre, mais simple, devant son éclat à sa fraîcheur, à la régularité de ses traits, à ses agréments naturels ; ses charmes relevés par mille grâces nouvelles, l'aisance de ses mouvements, la noblesse de sa figure, cette dignité imposante, dont l'innocence décore la beauté, inspirèrent autant de respect que de surprise à Monsieur de Clémengis. Il crut voir cette charmante fille pour la première fois ; elle lui parut née dans l'état où sa générosité l'avait placée. Parée de ses dons, environnée de ses bienfaits, elle ne lui devait point de reconnaissance, elle ignorait ses obligations ; rien ne l'asservissait, rien ne l'humiliait aux yeux d'un homme qui, loin d'oser lui vanter ses soins, craignait de les laisser paraître, et s'interrogeait souvent pour s'assurer s'il ne se trompait pas lui-même au motif qui le portait à les prendre.

Pendant plusieurs jours, le marquis conserva un air timide et embarrassé auprès d'Ernestine ; il hésitait en la nommant sa maîtresse, il avait peine à reprendre avec elle ce ton familier et gai de leurs premiers entretiens. Peu à peu sa position devint gênante. Avant son départ, occupé seulement du désir de plaire, incertain des sentiments qu'il inspirait, le doute lui laissait la force de cacher les siens ; mais voir Ernestine sensible, et n'oser le paraître lui-même ; lire dans ses yeux attendris les plus douces expressions de l'amour, et se taire ! Quelle contrainte, quel supplice pour un amant passionné, qui goûtait enfin un bien si longtemps souhaité, celui d'être aimé, véritablement aimé !

Sa fortune, dépendante encore d'une contestation difficile à terminer,[15] la nécessité de ménager la faveur d'un

24

parent dont l'amitié méritait sa reconnaissance,[16] le monde, les préjugés reçus,[17] tout élevait une barrière insurmontable entre Ernestine et lui. Il ne songeait point à la franchir : l'honnêteté de son cœur, la noblesse de ses principes, ne lui permettaient pas non plus d'avilir une fille estimable, de mettre un prix honteux à des dons qu'elle n'avait point exigés. S'arracher au plaisir de la voir, c'était un moyen de recouvrer sa tranquillité ; mais la dureté de ce moyen le révoltait. Si quelquefois il consentait à s'affliger lui-même, à s'éloigner, la certitude d'être aimé l'arrêtait : comment se résoudre à chagriner l'aimable, la sensible Ernestine ! L'éviter, la fuir, elle qui dans la simplicité de son cœur s'attachait tous les jours plus fortement à lui ! Que penserait-elle d'un ami bizarre et cruel ? Quelles seraient ses idées ? Mépriserait-elle son inconstance, en serait-elle touchée ? Oui, sans doute : il ne pouvait se dissimuler que sa présence n'excitât la joie d'Ernestine ; ah !

---

[15]Les contrats de mariage comportant souvent des clauses complexes relatives à la part respective du mari et de la femme (et éventuellement des enfants) quand aux capitaux apportés de chaque côté, des procès d'héritage furent fréquents et pouvaient durer des années. Ainsi, Clémengis n'a pas encore la jouissance de son patrimoine, et ne l'aura que quand un tribunal aura déclaré en sa faveur.

[16]Clémengis n'a ni père ni mère vivants, mais comme on le verra plus loin, son oncle, dont il héritera, sert de chef de la famille.

[17]Ces deux derniers articles réfèrent au fait que l'aristocratie, pour laquelle le mariage était une alliance entre familles, n'avait aucune tolérance pour la *mésalliance*, ou mariage au-dessous de son rang, et encore moins pour le mariage avec quelqu'un sans famille.

25

comment l'en priver, quand elle était peut-être devenue nécessaire au bonheur de sa vie ?

Cette dernière considération fut si puissante sur l'esprit de Monsieur de Clémengis, qu'elle fixa ses résolutions. Il ne changea point de conduite avec Ernestine ; elle n'aperçut en lui qu'un ami sincère, assidu, complaisant, empressé à lui préparer des amusements, et content d'être admis à les partager.

Les moments qu'ils passaient ensemble s'échappaient avec rapidité : amants secrets, amis avoués, le désir de se plaire, de tendres soins, de délicates attentions, entretenaient le charme inexprimable de ce commerce intime et délicieux. Ernestine en goûtait les douceurs sans crainte et sans inquiétude ; mais un bonheur si grand devait être cruellement troublé, et le temps approchait où la perte de l'heureuse ignorance qui le lui procurait, allait le détruire.

Madame Duménil, peu capable de distinguer les caractères, ne connaissait ni les sentiments, ni les véritables intentions de Monsieur de Clémengis : en s'engageant à seconder ses desseins, elle espérait jouir des plaisirs qu'un amant prodigue rassemblerait autour de sa maîtresse ; une maison ouverte, un cercle nombreux, d'amusants soupers, des fêtes continuelles offraient à son idée la plus riante perspective. Trompée dans son attente, elle prit de l'humeur, se plaignit au marquis de l'ennuyeuse retraite où elle vivait, l'avertit qu'elle ne pouvait la supporter plus longtemps, et menaça de quitter Ernestine si elle passait l'hiver à la campagne.

Le dessein de Monsieur de Clémengis n'était pas de l'y laisser. Il avait fait meubler une maison à Paris pour elle ; mais ne voulant point répandre sa jeune amie dans le monde,[18] il se repentait de s'être confié à une femme si peu raisonnable : il fallait, ou la contenter, ou la séparer d'Ernestine. De nouvelles libéralités et beaucoup de condescendance apaisèrent Madame Duménil ; elle revint à Paris, et conduisit Ernestine au faubourg Saint-Germain,[19] dans une maison peu spacieuse mais fort ornée. Deux jours après leur arrivée, elle lui porta à sa toilette plusieurs bijoux à son usage et un écrin rempli de pierreries.

Ce présent toucha Ernestine comme une nouvelle preuve de l'attentive amitié de Madame Duménil, mais sa magnificence ne l'éblouit point. Elle commençait à s'accoutumer à la richesse, à l'éclat ; et comme elle ne souhaitait pas d'exciter l'envie, elle était bien éloignée de mettre à la possession de ces brillantes bagatelles le prix que le commun des femmes y attachent.

---

[18]*Répandre quelqu'un dans le monde* = le faire participer à la vie de société.

[19]Le faubourg Saint-Germain était un quartier nouvellement développé situé à l'ouest de l'église Saint-Germain-des-Prés. A la grande différence du faubourg Saint-Antoine au début du roman, celui-ci était connu pour les beaux palais et hôtels de la haute noblesse et des étrangers.

Madame Duménil la pressa de s'en parer ; et se rappelant que le marquis était à Versailles, elle se hâta de profiter de son absence pour mener Ernestine à l'Opéra.[20] Son
projet était de lui inspirer le goût des plaisirs qu'elle-même
préférait, et de contraindre Monsieur de Clémengis à lui
laisser la liberté d'en jouir.

La nouveauté des objets[21] attira toute l'attention d'Ernestine ; elle ne s'aperçut point qu'elle fixait les regards
d'une foule de spectateurs, charmés de la voir et surpris
de ne pas la connaître.[22] Une riche parure, peu de rouge,
beaucoup de modestie ; la figure décente de Madame Duménil, l'air noble de sa jeune compagne, les firent passer
pour des femmes nouvellement arrivées de province :
tous les yeux s'attachèrent sur Ernestine. En sortant de sa
loge, elle se vit entourée et presque pressée par l'indiscrète
curiosité d'un essaim de ces importuns enfants abandon-
nés trop tôt à leur propre conduite,[23] souvent embarrassés
d'eux-mêmes, et toujours incommodes aux autres.

-----

[20]L'Opéra ou Académie Royale de Musique était (avec le Français
et les Italiens) l'un des trois théâtres officiels. Il jouait au Palais Royal,
quoiqu'un incendie en 1763 l'ait obligé de se transporter jusqu'en
1770 aux Tuileries.
[21]C'est-à-dire, des objets qui frappèrent sa vue.
[22]Ce passage peut faire penser à l'étonnement du prince de Clèves
en rencontrant la jeune beauté qu'il ne connaît pas — et qu'il épou-
sera bientôt (*La Princesse de Clèves*, 1678).
[23]Des jeunes gens sortis de collège qui devraient rester encore sous
l'égide d'un gouverneur.

Parvenue au pied de l'escalier, où plusieurs femmes attendaient leurs voitures, Ernestine reconnut parmi elles Mademoiselle Duménil, qu'elle croyait encore en Bretagne. La voir, s'écrier, percer la foule, courir à elle, l'embrasser, répéter : « Henriette, ma chère Henriette ! » — ce fut l'effet d'un mouvement si rapide que sa compagne ne put ni le prévenir ni l'arrêter.

Henriette, embarrassée, loin de répondre aux caresses d'Ernestine, paraissait vouloir s'en défendre, la repoussait doucement. « Y songez-vous, Mademoiselle, est-ce le temps ? le lieu ? », lui disait-elle. « Eh ! pourquoi ce feint empressement après un si long oubli ? Retirez-vous, je vous en prie : tout nous sépare à présent, et vous ne devez pas regretter la perte d'une inutile amie. »

« La perte d'une amie ! », répéta Ernestine ; « eh ! d'où vient, eh ! comment l'ai-je perdue ? Quoi ! ma chère Henriette, vous ne m'aimez plus ? vous avouez que vous ne m'aimez plus ! » « Je vous plains, Mademoiselle », dit Henriette ; « c'est vous aimer encore, c'est vous aimer autant que la différence actuelle de nos sentiments peut me le permettre. » Et la regardant d'un air attendri : « Aimable et malheureuse fille », ajouta-t-elle fort bas, « est-ce bien vous ? Quel éclat ! Mais quel faible dédommagement de celui dont brillait la simple, l'innocente élève de mon frère. » Une dame qui l'accompagnait l'appelant ensuite

29

pour sortir, elle la suivit et laissa Ernestine étonnée, confuse et presque immobile.

Madame Duménil n'avait osé s'approcher de sa belle-sœur. En retournant chez elle, un peu d'inquiétude lui faisait garder le silence ; elle attendait qu'Ernestine parlât, et voulait juger par ses discours de ceux d'Henriette. Il lui paraissait impossible qu'un entretien si court eût produit de grands éclaircissements. Mais son amie se taisait, soupirait ; et la consternation où elle la voyait lui causait un véritable embarras.

Occupée à se répéter les expressions d'Henriette, à en pénétrer le sens, Ernestine s'abîmait dans cette rêverie pénible où la foule des idées ne permet pas d'en apercevoir une distincte et de s'y arrêter. « Henriette me plaint », dit-elle enfin, « *Tout nous sépare !* Les bienfaits dont vous m'avez comblée ont blessé ses regards ; *leur éclat ne convient point à l'élève de son frère ! Malheureuse fille !*[24] s'est-elle écriée ! Eh ! d'où naît cette compassion si différente de celle que je lui inspirais autrefois ? Hélas ! j'ai toujours excité la pitié ; pourquoi ce sentiment m'humilie-t-il aujourd'hui ? Dès mes plus jeunes ans, abandonnée au soin de la Providence, recueillie par des mains bienfaisantes, j'ai dû ma subsistance et mon éducation à la généreuse

---

[24]L'italique, ici comme plus loin, est une convention typographique indiquant la reprise de paroles précédemment lues ou entendues — quoique la citation ne soit quelquefois (comme ici) qu'approximative.

amitié de Madame Dufresnoi ; Henriette, dépositaire de ses dernières bontés, n'a pas cessé de m'estimer en me les assurant ; pourquoi vos dons m'abaissent-ils à ses yeux ? En les recevant ai-je mal fait ? Oui sans doute : le faste et la richesse ne me conviennent point ; cet éclat emprunté peut fixer les regards sur moi, rappeler ma première situation, porter l'envie à me la reprocher, que sais-je ? Peut-être n'est-il pas permis au pauvre de s'élever ; l'obscurité, la vie simple et active, est peut-être son unique partage : en subsistant des bienfaits d'un ami, tout ce qu'on accepte au-delà de ses besoins peut être ridicule et méprisable. »

« Eh ! que vous importent les idées d'Henriette ? » répondit Madame Duménil ; « dépendez-vous d'elle ? Cette fille hautaine et sévère a-t-elle des droits sur vous ? Comment oserait-elle vous blâmer d'accepter mes dons, quand elle-même doit tout à l'affection d'une parente éloignée ? Vous m'avez extrêmement désobligée en courant à sa rencontre : elle m'a toujours haïe. Mais depuis la mort de son frère, j'ai eu le plaisir de la chagriner ; elle voulait se mêler de ma conduite, régler la vôtre : mais en lui fermant ma porte,[25] j'ai su m'affranchir de sa tyrannie. Elle est irritée contre moi, je le sais ; comment me pardonnerait-elle de vous avoir rendue heureuse sans la

---

[25]Allusion à une convention qui permettait de toujours éviter quelqu'un qu'on ne voulait pas voir, en lui faisant toujours dire par ses servants qu'on est sorti.

31

consulter sur les moyens d'assurer votre sort ? sans lui confier des arrangements que l'austérité de ses principes lui aurait fait rejeter ? »

« Vous avez fermé votre porte à Henriette ! », s'écria Ernestine surprise. « Eh, bon Dieu, que m'apprenez-vous ? »

« D'où vient vous montrer si fâchée ? », reprit Madame Duménil. « Qu'avez-vous donc à regretter ? Si je vous prive d'une amie, ne la retrouverez-vous pas en moi ? Après ce que j'ai fait pour vous, je m'étonne de vous voir si attachée à une autre. Jouissez sans inquiétude de cette aisance *qui blesse les regards* de Mademoiselle Duménil ; et si le hasard offre encore à vos yeux une personne si désagréable aux miens, évitez de lui parler : vous me devez cette légère condescendance, et je l'exige de votre amitié. »

Ernestine n'osa insister sur des explications qu'elle désirait ; elle fut triste, agitée tout le soir. La nuit augmenta son inquiétude ; mille réflexions s'élevaient dans son esprit. Pourquoi Madame Duménil l'avait-elle toujours assurée que sa belle-sœur était absente ? D'où naissait une haine si décidée, si forte ? Pendant la vie de Monsieur Duménil, elles ne se cherchaient pas, mais elles se voyaient assez souvent. Comment Henriette se serait-elle opposée à des arrangements avantageux pour son amie, elle qui avait tant de fois souhaité d'être riche et de partager sa fortune avec sa chère pupille ![26] On la traitait de sé-

---

[26]Au sens de : orpheline sous sa tutelle.

vère, de hautaine : ces épithètes convenaient-elles au naturel indulgent, à l'humeur douce de Mademoiselle Duménil ? Ernestine entrevit du mystère dans la conduite de sa compagne ; un soupçon vague éleva sa défiance et lui inspira une sorte de crainte ; cependant elle essaya de se calmer, de perdre le souvenir de cette rencontre, de donner à Madame Duménil une preuve de son attachement et de sa reconnaissance en se conformant à sa volonté. Mais comment supporter le doute où elle resterait ? Elle avait cru voir du mépris, de l'indignation dans les yeux de Mademoiselle Duménil : trompée par un faux rapport, son amie l'accusait peut-être d'entretenir la mésintelligence entre sa sœur[27] et elle. Cette dernière pensée ranima le désir de faire expliquer Henriette ; et comme Ernestine ne s'était point accoutumée à résister aux mouvements de son âme, elle s'y abandonna, attendit le jour avec impatience, se leva dès qu'il parut, s'habilla simplement, et déjà prête quand on entra chez elle, après s'être encore consultée, avoir hésité un peu de temps, elle demanda des porteurs,[28] sortit seule, et se rendit chez Henriette.

Mademoiselle Duménil venait de s'éveiller quand on lui annonça une visite qu'elle était fort éloignée d'attendre. « Eh ! bon Dieu ! » cria-t-elle à Ernestine d'un air surpris,

---

[27]Sa belle-sœur, Madame Duménil : usage fréquent au XVIIIe siècle.
[28]Elle sort non en carrosse mais en chaise à porteurs.

« vous voir ici, vous, Mademoiselle ! Quelle affaire si pressante peut donc vous y attirer ? »

« La plus intéressante de ma vie », répondit-elle. « Je viens savoir si vous êtes encore cette amie, autrefois si sensible à mon malheur, dont le cœur s'ouvrait à mes peines, dont la main essuyait mes larmes ! Si vous n'êtes point changée, pourquoi m'avez-vous affligée et presque offensée hier ? Si vous cessez de m'aimer, apprenez-moi comment j'ai perdu votre affection : je me plaignais d'une longue négligence, d'un oubli surprenant ; me plaindrai-je à présent de votre injustice? » Et passant ses bras autour de son amie, la pressant tendrement, « Parlez, ma chère Henriette, dites-moi *ce qui nous sépare*, et pourquoi mon heureuse situation semble vous inspirer de la pitié. »

« Votre *heureuse situation !* », répéta Mademoiselle Duménil. « Si elle vous paraît *heureuse*, un léger reproche peut-il en troubler la douceur ? Mais quel dessein vous engage à me chercher ? Pourquoi me presser de parler ? Ne m'avez-vous pas entendue ? »[29]

« Non », dit Ernestine ; « que me reprochez-vous ? qu'ai-je fait ? en quoi *nos sentiments diffèrent-ils ?* Ma conduite vous paraît-elle blâmable ? » « Cette question m'étonne », reprit Mademoiselle Duménil ; et la regardant fixement : « Osez-vous m'interroger avec cet air paisible

---

[29]*Entendre* veut dire ici à la fois entendre et comprendre : ce qui explique la réponse d'Ernestine, qui l'a entendue mais non comprise.

sur un sujet si révoltant ? », lui dit-elle. « En vous écartant de vos devoirs, avez-vous perdu le souvenir des obligations qu'ils vous imposaient ; ne vous en reste-t-il aucune idée ? Vous rougissez », ajouta-t-elle, « vous baissez les yeux : la pudeur brille encore sur le front noble et modeste d'Ernestine. Ah ! comment a-t-elle pu la bannir de son cœur ! »

« Je rougis de vos expressions, et non pas de mes fautes », dit Ernestine. « Exacte à remplir les devoirs qu'on m'apprit à suivre, je ne me reproche rien : cependant vous m'accusez : je me suis *écartée* de ces devoirs, j'en ai *perdu l'idée ?* Qui vous l'a dit, sur quoi le jugez-vous ? »

« Je ne vous aurais jamais soupçonnée de cette surprenante assurance », dit Henriette. « Mais cessons cet entretien ; ne me forcez point à m'expliquer sur les sentiments qu'il peut m'inspirer. Ah ! Mademoiselle, vous avez fait à la richesse un sacrifice bien volontaire, bien entier, s'il ne vous reste pas même assez de décence pour rougir de l'état méprisable que vous avez choisi ! »

« Eh, mon Dieu ! » s'écria Ernestine tout en pleurs, « est-ce une amie, est-ce Henriette, qui me traite avec tant de dureté ? Un état *méprisable !* j'ai choisi *cet état !* j'ai renoncé *à la décence !* je l'ai *sacrifiée à la richesse !* Moi ! comment ? dans quel temps ? en quelle occasion ? Quoi ! Mademoiselle, vous osez m'insulter si cruellement ! Vous osez m'imputer des crimes ! »

Mademoiselle Duménil, émue des larmes d'une jeune personne si longtemps chère à son cœur, ne put exciter sa douleur sans la partager : son indulgence naturelle la portait à excuser Ernestine, à rejeter sur sa belle-sœur l'égarement d'une fille simple et facile à séduire. Elle rêva un moment, et prenant la main de son amie, « Soyez vraie », lui dit-elle ; « répondez sans hésiter à mes demandes. Quand je vous écrivis de Bretagne, pourquoi ne me donnâtes-vous point de vos nouvelles ? Comment négligeâtes-vous mes avis pendant la maladie de mon frère ? Je vous offrais après sa mort un asile décent et agréable, pourquoi le refusâtes-vous ? Enfin, pourquoi m'écrivit-on de votre part de ne plus m'inquiéter de votre conduite ? »

En satisfaisant à ces questions, Ernestine découvrit à Mademoiselle Duménil qu'elle-même se croyait en droit de l'accuser de négligence. Henriette vit qu'on avait tendu des pièges à son amie ; elle ne douta point que, d'intelligence avec le marquis de Clémengis, Madame Duménil n'eût soustrait à la connaissance d'Ernestine des lettres capables de l'éclairer sur les dangers de sa situation. Elle soupira, s'attendrit. « On nous a trompé[30] l'une et l'autre », dit-elle ; « Deux perfides ont rendu ma prévoyance inutile ; ils ont bassement profité des circonstances : de mon éloignement, de votre crédulité ! Mais où nous conduit cette

---

[30]*Sic* ; en général on s'attendrait à *trompées*.

triste certitude ? Vous vous trouvez heureuse ! Quelle apparence de vous ramener à vos premiers principes ! Après avoir goûté les douceurs de l'opulence, est-il facile de s'en priver ? Pourriez-vous renoncer au marquis de Clémengis, à ses bienfaits intéressés ; fuir, mépriser, haïr cet homme vil... » « Renoncer à lui ! le fuir ! le mépriser ! » s'écria Ernestine. « Quels noms osez-vous lui donner ? Eh ! pourquoi le fuir ? qu'a-t-il fait ? par où mérite-t-il d'exciter l'horreur qu'il vous inspire ? »

« Vous m'embarrassez », reprit Henriette ; « Comment mes discours vous causent-ils tant de surprise ? Ne recevez-vous pas les visites de cet homme ? ne passe-t-il pas une partie du jour dans votre appartement ? d'autres personnes y sont-elles admises ? Etes-vous déterminée à continuer ce commerce déshonorant ? Si vous aimez le marquis de Clémengis, si la seule idée de vous séparer de lui vous révolte, vous arrache un cri de douleur, que venez-vous donc faire ici ? Apprenez-moi le sujet de cette étrange démarche : prétendez-vous excuser votre conduite, me contraindre à l'approuver ? Que voulez-vous, que me demandez-vous ? pourquoi me cherchez-vous ? »

« Un commerce déshonorant ! » répéta Ernestine. « Eh depuis quand l'amitié déshonore-t-elle l'objet qui la fait naître, l'excite et la partage ? Personne n'est admis dans mon appartement ? eh ! qui chercherait à me voir ? Le marquis de Clémengis est ma seule connaissance, mon unique ami. Elevée loin du monde, accoutumée à m'occuper, je n'ai point encore senti le besoin de me distraire, de me fuir moi-même, ni le désir de former des liaisons. Madame Duménil, autrefois si répandue, depuis l'instant où elle est rentrée dans ses biens, s'est éloignée de ses amis, n'a plus songé… » « Rentrée dans ses biens, elle ! » interrompit Henriette. « De quels biens me parlez-vous ? »

Ernestine conta alors l'histoire que Madame Duménil lui avait faite à la campagne, et sans s'apercevoir de la surprise d'Henriette : « Vous me reprochez mon affection pour le marquis de Clémengis », ajouta-t-elle ; « S'il vous était connu vous l'approuveriez. Oui, l'idée de ne plus le voir me révolte, elle blesse mon cœur. Une douce intimité s'est établie entre nous ; elle fait mon bonheur, et sans doute le sien ! La présence de cet homme aimable inspire je ne sais quel sentiment délicieux dont le charme est inexprimable ; dès qu'il est près de moi, je me trouve heureuse ; je lis dans ses yeux qu'il est content aussi, et j'aime à penser qu'un même mouvement cause ses plaisirs et les miens. »

Henriette joignit les mains, leva les yeux au Ciel. « Mon Dieu ! », s'écria-t-elle, « ai-je bien entendu ! Quelle espérance s'élève dans mon cœur ! Cet aveu, son ingénuité… O ma chère Ernestine, es-tu encore innocente ? » Dans le transport vif et tendre de sa joie, elle pressait sa charmante amie contre son sein. « Non », disait-elle, « non, Ernestine n'avouerait point un coupable attachement avec cette liberté ; elle est trompée, elle n'est pas séduite ; il est temps, il est encore temps de la sauver du danger où sa crédulité l'expose. »

Des questions suivies, des réponses positives, amenèrent enfin l'éclaircissement que toutes deux désiraient. La conduite du marquis étonnait Mademoiselle Duménil ; elle lui paraissait singulière, mais elle connaissait trop le monde pour la juger favorablement. Que devint Ernestine en apprenant d'elle où cette conduite pouvait la guider : eh quoi ! des soins si tendres, des bienfaits si grands, répandus sur elle avec autant de profusion et de secret, tendaient à lui ravir un bien dont la richesse et la grandeur ne pourraient jamais réparer la perte.

Mademoiselle Duménil, entrant alors dans des détails nécessaires à ses desseins, s'étendit sur la façon de penser libre et inconséquente des hommes, sur la contrariété sensible de leurs principes et de leurs mœurs. « O, ma chère amie, vous ne les connaissez pas », lui disait-elle ; « ils se prétendent formés pour guider, soutenir, protéger un sexe *timide et faible* : cependant eux seuls l'attaquent, entretiennent sa timidité, et profitent de sa faiblesse ; ils ont fait entre eux d'injustes conventions pour asservir les femmes, les soumettre à un dur empire ; ils leur ont imposé des devoirs, ils leur donnent des lois, et par une bizarrerie révoltante, née de l'amour d'eux-mêmes, ils les pressent de les enfreindre et tendent continuellement des pièges à ce sexe *faible*, *timide*, dont ils osent se dire le conseil et l'appui. »

« Ah ! ne comparez pas le marquis de Clémengis à ces hommes insensés », s'écria Ernestine ; « ne lui supposez point de cruelles intentions ; jamais il n'a formé l'horrible projet de me séduire, de me rendre méprisable et malheureuse. Non, son affection est aussi pure que la mienne. Ah ! si vous le voyiez, si vous lui parliez... » « Eh bien ! » interrompit Mademoiselle Duménil, « je le verrai, je lui parlerai ; je souhaite que son amitié soit innocente et désintéressée. Mais en le supposant, comment excuser l'imprudence de sa conduite ? En vous engageant à vivre dans une terre dont il venait de faire l'acquisition, ne vous a-t-il pas exposée à paraître dépendante de lui ? en vous dérobant à tous les regards, ne laissait-il pas croire que vous existiez pour lui seul ? Il vous cachait ses bienfaits, mais pouvait-il les cacher aux autres ? Madame Duménil est-elle inconnue, ignore-t-on ses facultés ? Ses anciennes amies, surprises de ne plus la voir, ont voulu pénétrer le mystère de sa retraite ; elles l'ont découvert, elles ont parlé. Depuis le retour du marquis, quelles idées se seront élevées dans l'esprit de vos valets, des siens ? Idées grossières, mais malignes, étendues, et dont la communication est prompte. Moi-même, ne vous ai-je pas crue coupable ! Monsieur de Clémengis est votre ami, dites-vous ? Non, Ernestine, non, il ne l'est pas : l'homme qui sacrifie notre

40

réputation à son amusement, à ses plaisirs, est-il donc un ami ? A-t-il donc une *affection pure* ? Mais vous pleurez », continua-t-elle, « vous gémissez, vous ne m'écoutez point. »

« Je ne vous ai que trop entendue », dit Ernestine. « Vous venez de détruire la paix de mon âme, tout le bonheur de ma vie ! Ah ! pourquoi dissipez-vous une si flatteuse illusion ? » Et cachant son visage inondé de pleurs dans le sein de son amie : « Ma chère Henriette, pardonnez-moi », lui criait-elle, « pardonnez ma douleur, souffrez qu'elle éclate. Je ne puis applaudir à votre raison ; je ne puis être reconnaissante de vos bontés. Ah ! fallait-il m'éclairer ! Mon erreur me rendait si heureuse ! que je hais le monde, ses usages, ses préjugés, ses malignes observations ! Que dois-je à ce monde où je ne vis point ? Quoi ! faudra-t-il immoler mon bonheur à ses fausses opinions ? Eh ! que m'importent ses vains, ses téméraires jugements, quand je suis innocente, quand mon cœur ne se reproche rien ? »

« Vous me troublez, vous m'affligez », reprit Mademoiselle Duménil. « Que vous êtes attachée à Monsieur de Clémengis ! Ne puis-je essayer de vous rendre à vous-même qu'en perçant votre cœur de mille traits douloureux ? Mais cessez de pénétrer le mien par ces cris, ces gémissements dont je suis trop touchée. Pourquoi ces larmes ? Vous êtes libre, Ernestine ; eh, bon Dieu ! ai-je le droit de vous contraindre, de vous arracher avec violence ce bonheur dont vous regrettez si vivement la perte ?

Vous pouvez le goûter encore, rien ne s'oppose à vos désirs. Oubliez que vous m'avez vue, perdez le souvenir de mon amitié, de mes vains efforts ; allez, retournez avec la vile complaisante qui s'est bassement prêtée à vous faire connaître cette félicité passagère. Ce n'est pas de moi, c'est d'elle que vous devez vous plaindre : cette femme inconsidérée est la véritable cause de vos peines ; puisse-t-elle ne l'être pas un jour de votre honte et de vos remords !»

«Que je suis malheureuse !» s'écria Ernestine. «Qu'un instant a répandu de trouble et d'amertume[31] dans mon cœur ! On craint pour moi la honte et les remords ? O ma chère Henriette ! ne méprisez pas votre amie ; ne vous offensez pas de mes plaintes. Je suis faible, et peut-être injuste ; la douleur oppresse mon âme, abat mes esprits, je ne me connais plus. Ne me dites point de retourner chez celle qui m'a trompée : je me livre à vous, à vos conseils, à vos lumières, à votre amitié ! Ah ! je ne regrette point l'aisance où je vivais, la fortune que j'abandonne ! Mais cet aimable ami si tendre, si sincère, imprudent à vos yeux, mais respectable aux miens ; cet ami dont la main généreuse me comblait de biens sans se laisser apercevoir, sans rien exiger de ma reconnaissance ; cet ami si cher, si digne de mon estime, de mon attachement, qui s'est fait une douce habitude de me voir, de me parler, d'être avec

---

[31]Construction vieillie : Quel trouble, quelle amertume un instant a répandus...

moi ! Faut-il l'affliger, le fuir, le quitter durement, l'inquiéter, lui causer les mêmes peines que je sens ? »

« Non, ma chère Ernestine, il ne le faut pas », reprit Mademoiselle Duménil. « Il faut au contraire le voir, lui parler, lui faire agréer la résolution que vous prenez de quitter Madame Duménil. Eh ! qui vous dit de renoncer aux douceurs d'un commerce innocent, de vous priver avec effort du plaisir de recevoir les visites de Monsieur de Clémengis ? Ne vivant plus de ses bienfaits, retirée dans un asile décent, il vous sera facile et permis de cultiver cette amitié si chère à votre cœur. Ecrivez au marquis, priez-le de se rendre à l'instant ici : vous préviendrez l'inquiétude où vous craignez qu'il ne se livre. Un moment d'entretien me fera connaître sa façon de penser. Il ne désapprouvera pas mes conseils, je l'espère ; mais s'il les rejette, ne serez-vous pas maîtresse de suivre les siens ? »

Ernestine prit une plume, et d'une main tremblante elle traça ces mots :

> On vient de m'apprendre que je ne dois à Madame Duménil ni égards, ni reconnaissance. Ne me cherchez plus chez cette femme ; je la quitte pour jamais. Vous, qui depuis un an jouissez de mon amitié, de mon estime, de ma plus tendre affection, êtes-vous un homme perfide ? Si vous pouvez justifier vos intentions aux yeux d'une fille respectable, venez chez Mademoiselle Duménil ; je vous y attends avec crainte, avec impatience. Je désire, j'espère, je crois que vous êtes digne de mes sentiments : ah !

venez le prouver à mon amie, à ma seule amie si
vous m'avez trompée !

Monsieur de Clémengis arrivait de Versailles et se pro-
posait d'aller chez Ernestine, quand le laquais de Mademoiselle Duménil lui remit ce billet. Il obéit sans hésiter,
et parut bientôt devant Henriette, avec cette noble assurance que donne la certitude de n'avoir jamais enfreint les
lois de l'honneur.

En entrant, il parut surpris de la voir seule. Ernestine
venait de passer dans un cabinet d'où elle pouvait l'entendre : pour la première fois, éprouvant à l'approche du
marquis une émotion où le plaisir ne se mêlait pas, elle
craignit sa présence, et sentit le désir de lui cacher les
mouvements de son cœur.

En jetant les yeux sur Monsieur de Clémengis, Mademoiselle Duménil devint plus indulgente encore pour
la tendre faiblesse de son amie. Comment une figure si
charmante n'aurait-elle pas fait la plus vive impression
sur une personne si jeune, si peu en garde contre les passions, si accoutumée à suivre les seules inspirations de son
cœur ? Henriette admira le marquis, et souhaita qu'un
heureux naturel répondît à cet aimable extérieur. « Me
pardonnerez-vous, Monsieur », lui dit-elle, « d'entrer malgré vous dans votre confidence, de chercher à pénétrer
vos secrets ; d'oser vous demander compte d'une conduite

44

dont l'apparente irrégularité est sans doute autorisée par le motif caché de vos démarches ? Refuserez-vous de m'instruire de vos desseins sur Ernestine ? »

« En vérité, Mademoiselle, je n'en ai point », dit le marquis, « et vous ne sauriez croire combien vous m'embarrassez par une question que je me suis faite mille fois, sans pouvoir me donner à moi-même une réponse satisfaisante. Je désire la tranquillité, le bonheur d'Ernestine ; je me suis occupé des moyens de la rendre heureuse ; mon cœur s'est avoué ces intentions, je ne m'en connais point d'autres. Oserais-je à mon tour vous demander, Mademoiselle, ce qui vous paraît irrégulier dans mes démarches et pourquoi vous semblez blâmer ma conduite ? »

« Je suis fâchée, Monsieur, vraiment fâchée », reprit Henriette, « que vous puissiez vous croire à l'abri du reproche en exposant la réputation d'une jeune personne dont la sagesse est l'unique bien. Aviez-vous le droit de la soustraire à ma vue, de la priver de mes conseils, de l'engager à quitter un état simple mais paisible pour lui faire goûter les douceurs d'une opulence passagère, l'accoutumer à en jouir, et peut-être la conduire à se les assurer par le sacrifice de l'honnêteté de ses mœurs ? Eh ! quoi, Monsieur, vous ne vous reprochez rien, quand vous vous êtes plu à lui inspirer une passion qui la met dans la cruelle nécessité d'être coupable ou malheureuse ! »

45

« Ce dernier reproche me touche », reprit le marquis ;
« je le mérite, je me le fais souvent à moi-même. Dans la
position d'Ernestine, dans la mienne, je ne devais ni nour-
rir mon penchant, ni exciter en elle une passion qui ne
pouvait devenir heureuse sans qu'un de nous ne fît à l'autre un trop grand sacrifice. Mais, ai-je tenté de la séduire ?
l'ai-je trompée par d'éblouissantes promesses ? lui ai-je
donné de fausses espérances ? ai-je abusé de sa crédulité ?
enfin, ai-je échauffé son cœur par des discours passion-
nés ? me suis-je seulement permis l'aveu de mes sentiments ? Content du plaisir d'aimer, charmé de la douceur
de plaire, je jouissais d'un bonheur inconnu, peut-être, au
commun des hommes. Ernestine le partageait ! Ah ! Mademoiselle, de quel bien vous nous privez tous deux, par
le fatal éclaircissement que vous venez de lui donner ! »

Mademoiselle Duménil, un peu embarrassée de cette
espèce de reproche, ne voulut pas laisser penser à Monsieur de Clémengis qu'un zèle officieux ou indiscret l'eût
engagée à pénétrer le fond d'une intrigue où il était intéressé[32] ; elle lui apprit la rencontre qu'elle avait faite la
veille, et ne lui cacha rien de ce qui venait de se passer entre Ernestine et elle.

« Je consens à vous laisser connaître tous mes secrets,
Mademoiselle », reprit le marquis. « Je ne conteste point

---

[32]Simple bourgeoise, elle ne veut pas lui donner l'impression qu'elle
présume s'enquérir sans cause des affaires privées d'un aristocrate.

vos droits sur une jeune personne dont vous avez pris soin pendant plusieurs années. En la retirant d'un état au-dessous de la médiocrité, j'ai voulu faire, pour la beauté modeste et sans appui, ce que mes pareils font tous les jours en faveur de la bassesse, du vice et de l'impudence. Votre amie ne jouit point *d'une opulence passagère* : elle est riche, libre et indépendante. Ayant joué tout l'hiver d'un bonheur constant, tenté la fortune sans pouvoir la lasser,[33] avant de partir pour l'Italie je me trouvais une somme considérable, dont rien ne m'empêchait de disposer ; je la destinai à changer le sort de l'aimable élève de votre frère. Mon dessein était de vous la remettre, mais votre départ me força à prendre d'autres mesures. Dirigé par Madame Duménil, je déposai une partie de la fortune d'Ernestine chez l'homme public[34] où vous-même, Mademoiselle, aviez placé ses premiers fonds ; la terre qu'elle habitait lui appartient, elle est acquise sous son nom et par les soins de cet honnête homme. Si j'ai caché les miens à votre jeune amie, c'est par un sentiment dont vous ne pouvez me blâmer. Vous savez tout à présent, jugez-moi, Made-moiselle, et daignez me dire si le mystère de ma conduite vous paraît criminel, si j'ai mérité qu'Ernestine me de-mande : *Etes-vous un homme perfide ?* »

---

[33]*Jouer de bonheur* est une locution aujourd'hui disparue qui signifie : être favorisé par une chance durable (Larousse). Il veut dire qu'il a beaucoup joué sans cesser de gagner toujours.

[34]Un homme qui s'occupe des affaires dont on le charge.

Henriette rêva un moment. La noble franchise de Monsieur de Clémengis, sa générosité, un amour si tendre, si désintéressé, lui paraissait un sentiment nouveau ; le grand monde où elle vivait depuis son enfance ne lui en avait jamais donné d'idée. Elle commençait à regarder l'ami d'Ernestine avec une sorte de vénération. Mais cherchant encore à s'assurer si elle ne se trompait point : « Consentiriez-vous, Monsieur », lui dit-elle, « à laisser jouir Ernestine de vos bienfaits dans le couvent où j'ai dessein de la conduire ce soir ? »

« Ah ! qu'elle en jouisse partout où ils la rendront heureuse ! » s'écria Monsieur de Clémengis. « L'ai-je obligée pour la contraindre ? Non, Mademoiselle, non, je vous le répète, elle est libre, elle est indépendante, et je me mépriserais si j'osais me croire des droits sur elle. »

Mademoiselle Duménil se leva avec vivacité, courut dans son cabinet, prit Ernestine par la main, et la conduisant auprès de Monsieur de Clémengis : « Remerciez votre aimable, votre généreux protecteur », lui dit-elle ; « Vous ne devez pas rougir de ses bienfaits, vous n'en avez rien à craindre. Peut-être n'étiez-vous pas née pour en accepter, mais les dons de l'amitié n'avilissent jamais. Par une reconnaissance vive et constante, méritez l'ami que votre heureux sort vous donne. »

Ernestine avait tout entendu. Pénétrée d'un tendre sentiment qu'elle n'osait faire éclater, ses larmes furent assez longtemps la seule expression de son cœur. « Mademoiselle Duménil prévient de peu de jours », lui dit le marquis, « une proposition que je m'apprêtais à vous faire. Les plaintes continuelles de Madame Duménil, son obstination à vouloir vous répandre dans le monde, allaient me forcer à vous prier de la quitter ; votre amie m'épargne une explication dont je me sentais embarrassé ; je redoutais l'instant où je vous parlerais, et plus encore les suites d'un éclaircissement que je balançais à vous donner. Mais pourquoi pleurez-vous ? » lui demanda-t-il d'un ton tendre ; « Auriez-vous de la répugnance pour l'asile qu'on vous propose ? »

« Eh ! Monsieur », dit Ernestine, « pourrais-je ne pas aimer l'asile que vous me choisissez ? Je suivrai les conseils de Mademoiselle, je me soumettrai aux lois que vous daignerez m'imposer ; elles seront à jamais la règle de ma vie. »[35] « Vous imposer des lois, moi, ma chère Ernestine ! » s'écria le marquis. « Quel langage ! puis-je l'entendre sans douleur ? » Et s'adressant à Henriette : « Et je vous en prie, Mademoiselle », lui dit-il d'un air touché, triste même ; « et je vous en prie, engagez votre amie à me traiter avec plus de bonté. »

Ernestine lui tendit la main, voulut parler ; mais la crainte de voir le marquis pour la dernière fois serrait son

---

[35]La *règle* est le régime d'obédience d'un ordre monastique.

cœur et liait sa langue. Quelques mots coupés par ses soupirs découvrirent sa pensée à Monsieur de Clémengis. Il en fut ému, attendri ; il prit sa main, la pressa doucement, la baisa : « Nous ne nous séparerons point », lui disait-il, « je vous visiterai souvent, vous me serez toujours chère, vous m'occuperez sans cesse. Séchez vos pleurs, levez ces yeux charmants sur deux personnes dont vous êtes si véritablement aimée ; accordez-moi la douceur de m'applaudir à ceux de votre amie, de n'avoir rien permis à mes désirs qui vous oblige à les baisser devant elle. »

Mademoiselle Duménil se joignit au marquis pour consoler Ernestine ; ils prirent de concert toutes les mesures capables de rendre la nouvelle situation de cette aimable fille aussi agréable que paisible. Elle-même choisit l'abbaye de Montmartre, et demanda à s'y retirer.[36] Le marquis se chargea de lui envoyer à l'instant sa femme de chambre, le seul domestique qu'elle voulait garder, et la débarrassa du soin d'avertir Madame Duménil d'une si brusque séparation. A sa prière, Henriette consentit à recevoir chez elle les effets les plus précieux d'Ernestine, d'où on les transporterait ensuite à l'abbaye. Elle accepta la régie des biens de son amie, et l'offre que lui fit le marquis d'en remettre les titres entre ses mains.

---

[36]Montmartre était une commune de la Seine tout près de Paris, auquel elle fut rattachée en 1860. Il s'y trouvait depuis le Moyen Age quantité de maisons religieuses.

En se prêtant à ces arrangements, qui allaient lui ravir la liberté de voir Ernestine à tous les moments du jour, Monsieur de Clémengis s'efforçait de paraître tranquille ; mais peu accoutumé à déguiser les mouvements de son âme, ses regards découvraient le trouble et l'agitation d'une passion inquiète. Il prit les mains d'Ernestine, et la regardant avec une tendresse inexprimable, « O ma charmante amie », lui dit-il, « n'oubliez jamais un homme qui a pu passer tant d'heures auprès de vous, et réprimer une ardeur dont l'objet et la vivacité lui offraient une excuse si naturelle. Je vous aime ! Vous l'ignoriez ; il m'est doux de vous le dire, de vous le répéter ! Oui, je vous aime, je vous adore ! Combien il m'en a coûté pour vous le taire si longtemps ! Je m'applaudis de vous avoir respectée : plus mes désirs étaient grands, plus l'innocence et la sensibilité de votre cœur me présentaient l'idée flatteuse d'un triomphe assuré, plus la victoire que j'ai remportée sur moi-même est satisfaisante. Si vous croyez devoir quelque retour à ma tendre, à ma solide amitié, accordez-moi la récompense d'un effort si difficile, d'une retenue si constante : cessez de vous affliger, dissipez cette tristesse cruelle où vous vous livrez ; que je n'en aperçoive plus de traces dans ces yeux chéris. Ah ! vous le savez, tout mon bonheur dépend d'être sûr de celui d'Ernestine ! »

Sans attendre sa réponse, le marquis prit alors congé de Mademoiselle Duménil ; il sortait, quand revenant à elle, il lui demanda d'un ton timide, s'il lui serait permis de la revoir. Henriette, douce, sensible, vertueuse sans rudesse, dédaignait une sévérité souvent affectée, toujours rebutante, propre à rendre la sagesse plus incommode que respectable ; elle ne croyait pas devoir priver le marquis de la vue d'Ernestine : elle lui répondit d'un air riant qu'elle recevrait ses visites avec plaisir.

Obligée de descendre à l'heure du dîner, Henriette ne contraignit point Ernestine à paraître chez sa cousine. Quand elle remonta, on lui dit que son amie n'avait pu se forcer à rien prendre : elle la vit abattue, baignée de larmes, la tête baissée sur son sein, son visage à demi caché sous un mouchoir inondé de ses pleurs. « Eh ! d'où naît ce redoublement de douleur », s'écria Henriette, « quel sujet, quelles réflexions, vous arrachent ces larmes amères ? »

« Je ne sais », répondit-elle ; « j'ignore pourquoi mon âme est si cruellement oppressée. Je ne sentais point de désirs, je ne concevais pas des espérances, ma félicité me paraissait le bonheur suprême : elle remplissait tout mon cœur, elle ne permettait pas de former des vœux ; jamais je n'entrevis dans l'avenir un bien au-dessus de celui dont je jouissais. Et cependant, ma chère Henriette, il me semble que j'ai fait une perte immense ; on vient de me ravir, de m'enlever… quoi ? pas même des souhaits ! Ah ! quelle triste lumière les paroles du marquis ont portée dans mon esprit ! *La position d'Ernestine, la mienne, ne nous permettent point d'être heureux, si l'un de nous ne fait à l'autre un trop grand sacrifice !* » Elle s'arrêta, soupira, détourna les yeux, dans la crainte de rencontrer ceux d'Henriette. « Cher Clémengis ! » dit-elle, « tu ne feras point un *trop grand sacrifice* pour rendre Ernestine heureuse ! Elle ne l'exige pas ; elle ne désire point un bonheur qui porterait atteinte à ta gloire. Mes yeux sont ouverts, je vois tout ce qui nous sépare ; mais comment, mais d'où vient éprouve-t-on une douleur si vive en renonçant à un espoir qu'on n'avait pas ? »

Les caresses de Mademoiselle Duménil, les visites du marquis, le temps, la raison, dissipèrent un peu le chagrin d'Ernestine ; mais une douce mélancolie devint son humeur habituelle.[37] Après un mois de séjour chez Henriette, elle entra dans le couvent. On lui avait préparé un appartement commode et agréable[38] ; elle y découvrit partout les soins de son amant : une petite bibliothèque composée de livres choisis par le marquis lui offrait un amusement utile et la facilité d'acquérir des connaissances. Elle continua de prendre des leçons de musique, s'occupa de la lecture, et ne négligea point un talent devenu précieux pour elle par le plaisir qu'il lui donnait de multiplier

---

[37]Cela veut dire que la bile noire, une des humeurs du corps dont l'excès cause la mélancolie, est devenue prépondérante et domine son tempérament.

[38]Elle n'entre pas *au* couvent avec l'intention de prendre le voile : à l'époque beaucoup de couvents tenaient des appartements à la disposition de dames désirant une retraite (se souvenir que la princesse de Clèves se retire dans un couvent à la fin du roman).

l'image de Monsieur de Clémengis : des traits si chéris se trouvaient retracés dans tous les sujets qui se présentaient à son imagination, et son cabinet se remplissait des portraits de son amant.

Mademoiselle Duménil la visitait souvent. Le marquis l'accompagnait quelquefois, mais il se permettait rarement d'aller seul à l'abbaye. Depuis l'instant où il s'était déterminé à remettre Ernestine sous la conduite d'Henriette, il s'attachait à combattre sa passion ; dans ses principes, il ne pouvait la rendre heureuse sans risquer le renversement de sa fortune, manquer aux égards dus à son oncle, même à une grande famille dont il lui ménageait l'alliance.[39] On examinait alors l'affaire ancienne et importante d'où ses espérances dépendaient, le jugement en était encore incertain ; si Monsieur de Clémengis perdait à la fois son procès et la faveur de son oncle, réduit à un revenu médiocre, forcé de quitter le service,[40] d'abandonner la cour, de vivre loin du monde, savait-il si ses désirs, affaiblis par la possession, ne s'éteindraient pas ? Si la constance de ses sentiments rendrait ses plaisirs durables ? si les douceurs de son mariage effaceraient le souvenir

---

[39]Ainsi s'explique le « sacrifice » auquel Clémengis faisait allusion par rapport à lui-même : il s'agit de son rang, mais aussi de sa race (c'est-à-dire son lignage). C'est aussi bien la première allusion à un mariage en vue.

[40]Non pour raison de déshonneur mais de pénurie : le service d'un officier n'était point payant ; au contraire, c'est lui qui subvenait aux frais de son équipage et son entretien.

amer de tant de sacrifices faits à l'amour ? Qui l'assurait de penser longtemps comme il pensait alors ? Peut-être un jour, injuste dans ses regrets, cesserait-il d'aimer l'innocente cause de sa ruine[41] ; peut-être oserait-il l'accuser de sa propre imprudence, rejeter sur elle l'amertume de ses chagrins, la rendre malheureuse, et lui ravir à jamais cette paix, ce bonheur que lui-même s'était plu à lui assurer.

Ces réflexions l'affermissaient dans la résolution de résister à son amour, de ne plus se permettre des soins qui l'entretenaient. Il essayait ses forces, se faisait une violence extrême pour laisser passer plusieurs jours sans voir Ernestine, sans lui écrire ; mais se reprochant bientôt cette apparente négligence, il courait la chercher, s'enivrait du plaisir de la regarder, et lui trouvant un air triste, abattu, il s'accusait de cruauté, se demandait comment il avait pu l'affliger, élever un mouvement de douleur dans cette âme sensible.

La tendre fille n'osait se plaindre de lui ; devenue timide, elle rougissait de son trouble et s'efforçait de le cacher ; mais ses regards languissants, ses soupirs, ses questions inquiètes, découvraient la crainte de n'être plus aimée. Perdant de vue tous ses projets, le marquis s'occupait uniquement du soin de la rassurer ; il s'abandonnait à la douceur de lui parler de ses sentiments ; et lui rappelant

---

[41]De son naufrage financier, étant ruiné à cause de sa mésalliance.

ces temps où, libres de s'entretenir, ils passaient ensemble des heures si délicieuses, il semblait lui reprocher d'avoir cherché des lumières inutiles à son bonheur : « Ah ! pourquoi », lui disait-il, « avez-vous appris à me craindre, à vous défier de vous-même ? »

Touchée de ces discours, attendrie par ses propres idées, Ernestine se taisait, pleurait, et regrettait peut-être sa première simplicité. Trois mois s'écoulèrent sans apporter aucun changement dans sa situation. Au retour du printemps, le marquis se disposa à la quitter pour se rendre à son régiment. L'un et l'autre sentirent vivement l'approche de cette séparation. Leurs adieux furent longs et tendres, ils pleurèrent tous deux, et loin de s'exhorter mutuellement à s'aimer moins, ils se répétèrent mille fois qu'ils s'aimeraient toujours.

Peu de temps après le départ de Monsieur de Clémengis, Ernestine éprouva de l'ennui dans sa retraite ; elle désira d'aller à la campagne, de revoir, d'habiter cette agréable demeure, présent de son amant, préparée, embellie par ses soins. Henriette lui représentait qu'elle ne devait pas y vivre seule. Cette difficulté chagrinait Ernestine, le hasard la leva : un événement où son bon cœur l'intéressa lui fit trouver une compagne.

Madame de Ranci, âgée de trente-six ans, belle encore, aimable et malheureuse, retirée depuis trois ans à l'abbaye, s'était attachée à montrer de la complaisance et de l'amitié à la jeune Ernestine. Veuve et réduite à la plus grande médiocrité par des accidents fâcheux, il lui restait seulement une petite rente sur un particulier[42] ; cet homme manquant de bonheur ou de conduite, dérangea ses affaires ; pressé par ses créanciers, il prit la fuite, passa en Hollande, et livra Madame de Ranci à toutes les horreurs de l'extrême pauvreté.

Ernestine, élevée, soutenue, enrichie, par la tendre compassion de ses amis, se plaisait à répandre sa libéralité sur tous ceux qui lui offraient l'image de son premier état ; son cœur, toujours ouvert aux cris de l'indigent, cherchait à rendre à l'humanité les secours qu'elle-même en avait reçus.

Pénétrée du malheur de Madame de Ranci, elle prit des mesures avec Mademoiselle Duménil pour faire passer sur la tête de cette femme désolée le petit héritage de Madame Dufresnoi, et ce qu'elle y ajouta remplaça sa perte et même étendit un peu son revenu. La reconnaissance se joignant à l'amitié dans le cœur d'une femme honnête et sensible, elle sentit bientôt pour Ernestine les sentiments d'une tendre mère, reçut avec joie la proposition de s'attacher à son sort, de vivre toujours avec elle et de l'accompagner dans sa terre, où elles se rendirent un mois après le départ de Monsieur de Clémengis.

---

[42]Un revenu contractuel, mais garanti par un seul individu.

Ernestine revit avec transport ces lieux chers à son cœur. Elle ne cachait point à Madame de Ranci la cause du plaisir qu'elle sentait de les habiter ; elle lui montrait les lettres du marquis, ses réponses, l'entretenait de ses sentiments pour cet homme aimable ; lui parlait de ses obligations, de sa reconnaissance, de sa tendresse, de la douceur qu'elle éprouvait en pensant à lui ; et quand son amie lui demandait où devait la conduire un amour si vif, quand elle l'interrogeait sur ses espérances, des soupirs, des larmes interrompaient les effusions de son cœur : elle avouait qu'elle n'en avait point. Sans rejeter les conseils prudents de Madame de Ranci, sans se révolter contre ses réflexions, elle l'écoutait, convenait de la justesse de ses observations, et lui laissait voir qu'elles ne la persuadaient point ; rien ne pouvait l'engager à oublier le marquis, à renoncer au plaisir de l'aimer, à la certitude de lui plaire.

Vers la fin de l'été, Mademoiselle Duménil, prête à retourner en Bretagne, voulut avant de partir passer quelques jours chez Ernestine. En la quittant, elle lui recommanda de ne pas attendre Monsieur de Clémengis dans cette belle solitude, et ne l'y laissa qu'après avoir obtenu d'elle une promesse de rentrer bientôt au couvent.

Cette parole donnée à Mademoiselle Duménil embarrassa bientôt l'aimable et tendre Ernestine. Le marquis allait revenir ; il la conjurait de rester chez elle, de passer l'automne à la campagne, de lui permettre de la revoir encore avec une liberté dont elle ne devait pas craindre qu'il abusât ; la présence de Madame de Ranci suffisait, disait-il, pour la rassurer contre de malignes observations. La même prière se renouvelait dans toutes ses lettres ; il la pressait avec ardeur, il semblait que tout son bonheur dépendît d'obtenir d'elle cette grâce.

La faible Ernestine ne put se défendre de lui accorder une faveur si vivement demandée. « Je lui dois tout », disait-elle à Madame de Ranci ; « ne ferai-je rien pour lui ? En résistant à ses désirs, je m'accuse d'ingratitude : est-ce à moi de l'affliger ? Ah ! dans tout ce que l'honneur ne me défend pas, pourquoi ne céderais-je point à ses volontés ? Pourquoi sacrifierais-je à la crainte d'être injustement soupçonnée, la douceur véritable de lui causer de la joie. Vous me soutiendrez contre moi-même, vous daignerez remplir à mon égard les devoirs d'une mère tendre et vigilante, vous ne me quitterez point : témoin de ma conduite, vous me justifierez auprès d'Henriette ; eh ! que m'importe le reste du monde ? L'estime de mes amis, la mienne, suffisent à ma tranquillité. » Madame de Ranci combattit en vain une résolution déterminée, et Monsieur de Clémengis eut le plaisir de retrouver Ernestine à la campagne, et de s'assurer qu'il devait sa complaisance à l'amour.

Il en jouit pendant plusieurs jours, sans paraître porter ses idées au-delà du bonheur qu'il s'était promis ; mais un amour avoué peut-il se contenir dans les bornes étroites que l'amitié prescrit ? Un désir satisfait élève un désir plus ardent encore ; les souhaits se multiplient, les vœux s'étendent ; une grâce reçue ouvre le cœur à l'espérance d'une grâce plus grande ; l'espace immense qui semblait éloigner un point à peine aperçu, disparaît insensiblement, et la pensée se fixe sur l'objet qu'on n'osait même entrevoir.

Libre de prolonger ses visites, de passer une partie du jour auprès d'Ernestine, le marquis de Clémengis montra de l'humeur. La présence continuelle de Madame de Ranci le gênait, et son attention à ne pas quitter sa jeune amie la rendait insupportable à ses yeux. « Fallait-il accoutumer cette femme à vous suivre avec tant d'affectation », disait-il à Ernestine, « à ne jamais vous perdre de vue ? Exigez-vous d'elle cette importune assiduité ? Me craignez-vous ? Avez-vous cessé de m'estimer ? Quoi, des précautions contre moi ! Est-ce vous, est-ce Ernestine qui me laisse voir une défiance injurieuse ? Que de froideur ! de réserve ! Non, votre amitié n'est plus aussi tendre : ah ! qu'est devenu ce temps, cet heureux temps, où dans ces mêmes lieux vous accouriez au-devant de mes pas avec une joie si vive ! où votre bras s'appuyait sur le mien ![43] où nous parcourions ensemble toutes les routes de ce bois

---

[43]La coutume voulait qu'un gentilhomme offre son bras à une dame qu'il accompagne ; elle pouvait en profiter pour exprimer ses sentiments par une pression de la main.

où vous vous plaisiez tant ! O ma chère amie, il est donc vrai que vous êtes changée ? »

Ces reproches touchaient Ernestine, pénétraient son cœur, lui arrachaient des larmes, et jamais la plus légère plainte : elle supportait la triste uniformité de ces entretiens avec une patiente indulgence. Les chagrins du marquis, sa pâleur, son abattement, élevaient des craintes dans son âme, elle tremblait pour des jours si précieux. « Je ne vous importunerai bientôt plus », lui disait-il, les yeux baignés de pleurs. Elle commença à se repentir d'une complaisance dont elle n'avait point prévu les suites. « Mon imprudence vient d'irriter une passion si longtemps réprimée », répétait-elle à Madame de Ranci ; « je n'en connaissais encore que les douceurs, j'en éprouve à présent toutes les amertumes. » Cette femme, alarmée du danger de sa jeune amie, la pressait de retourner à Montmartre. Ernestine y consentit ; mais avant de partir, elle écrivit à Monsieur de Clémengis, et lui envoya sa lettre par un exprès à l'instant même où elle rentrait au couvent. Il l'ouvrit avec empressement, et sa surprise fut extrême d'y trouver ces paroles :

Lettre d'Ernestine

Quelle douleur pour moi, Monsieur, d'exciter vos plaintes, de m'accuser de toutes vos peines, de me reprocher l'état affreux où vous êtes ! Eh, quoi ! c'est donc moi qui vous afflige ? Puis-je le croire, puis-je m'en assurer, quand votre bonheur est l'objet, l'unique objet de tous les vœux de mon cœur ? Hélas ! par quelle fatalité ce bonheur semble-t-il dépendre aujourd'hui de l'égarement d'une fille que vous respectiez autrefois ! Soyez juge dans votre propre cause, dans la mienne, et prononcez entre votre cœur et le mien.

Ma réserve vous blesse ? Eh, Monsieur, m'est-il permis de vous traiter encore avec une familiarité dont mon ignorance était l'excuse ? Pendant longtemps j'osai vous regarder comme un frère chéri : l'extrême différence de nos fortunes ne me frappait point ; dans ces temps heureux rien n'arrêtait les témoignages de mon innocente affection. Je ne suis point changée ; ah ! pourquoi vous obstinez-vous à penser que je le suis ? Ce n'est pas vous, Monsieur, c'est moi-même que je crains. Je suis jeune, je vous dois tout ; je vous aime : oui, Monsieur, je vous aime, je le dis, je le répète avec plaisir ; je ne rougis pas de vous aimer. Le premier instant où vous parûtes à mes yeux fit naître cette tendresse que le temps a rendue si vive : sentiment cher à mon cœur, le seul qui m'attache à la vie. Tant de bienfaits, si généreusement répandus sur moi, m'assuraient un sort paisible, mais l'amour que vous m'inspiriez faisait mon bonheur, mon souverain bonheur ! Penser sans cesse à vous, m'occuper du soin de conserver votre amitié, de mériter l'estime de mon respectable ami ; vous voir quelquefois, lire dans vos yeux que ma présence excitait votre joie : c'était pour moi le bien suprême ! Une félicité si grande est-elle à jamais détruite ? Ne me la rendrez-vous point ? Non, il n'est plus en votre pouvoir de me la rendre !

Vous ne m'importunerez pas longtemps ! Quelle cruelle expression ! Je ne puis supporter la certitude de faire votre malheur ; elle pénètre mon âme, elle déchire mon cœur. En me retirant, en abandonnant les lieux où je vous voyais sans contrainte, j'ai suivi des conseils prudents ; mais je ne vous fuis point, je ne prétends pas élever une barrière entre vous et moi. Prête à quitter cet asile si vous le voulez, je soumets ma conduite à votre décision. Si, pour sauver vos jours, il faut me rendre méprisable, renoncer à mes principes, à ma propre estime, peut-être à la vôtre, je ne balance point entre un intérêt si cher et mon seul intérêt. Ordonnez, Monsieur, du destin d'une fille disposée, déterminée à tout immoler à votre bonheur ; mais avant d'accepter un si grand sacrifice, permettez-moi de remettre dans vos mains tous les dons que vous m'avez faits. Les garder, en jouir, ce serait laisser croire que vous m'aviez enrichie pour me perdre ; sauvons au moins votre honneur, une légère partie du mien : qu'on ne m'impute jamais la bassesse d'avoir reçu le prix de mon innocence. A ces conditions, Monsieur, la tendre, la malheureuse Ernestine tiendra la conduite que votre réponse lui prescrira.

« Ah ! grand Dieu ! » s'écria le marquis en finissant de lire, « ai-je pu porter cette charmante fille à m'écrire ainsi ? Quelle étrange proposition ! Mais que de bonté, de tendresse, de générosité dans cet abandon de ses principes, d'elle-même ! Aimable Ernestine ! Qui, moi, je t'avilirais ? j'abuserais de ton amour, de ta noble confiance… Ah ! tu n'as rien à craindre de ton amant, de ton ami, de ton reconnaissant ami. Périsse l'homme injuste et cruel, qui ose fonder son bonheur sur la condescendance d'une douce, d'une sensible créature, capable de s'oublier elle-même pour le rendre heureux. »

Monsieur de Clémengis se hâta de répondre à l'inquiète Ernestine. L'agitation de ses esprits, l'attendrissement de son cœur ne lui permirent pas de mettre beaucoup d'ordre dans sa lettre. Il la remerciait d'une preuve si extraordinaire de ses sentiments ; il s'en plaignait aussi, lui reprochait doucement de l'avoir soupçonné d'un dessein qu'il ne formait pas. « Ah ! comment avez-vous pu croire », lui disait-il, « que votre ami voulût être votre tyran ? » Il terminait sa lettre par des expressions tristes et vagues ; elles semblaient annoncer sa visite pour le soir : il promettait une confidence, elle expliquerait ce qu'il n'osait lui dire en ce moment, ce qu'il se trouvait malheureux, bien malheureux de devoir lui apprendre.

Ernestine était avec Madame de Ranci quand on lui apporta la lettre de Monsieur de Clémengis. Elle la prit en tremblant, la tint longtemps sans oser l'ouvrir ; une pâleur mortelle se répandit sur son visage. « Voilà l'arrêt de mon destin », dit-elle ; « O Madame de Ranci ! si vous saviez… qu'ai-je fait ! que me dit-il ? Je suis perdue ! »

Cette femme, ignorant le sujet de sa terreur, s'étonnait de la consternation où elle la voyait. Ernestine rompit enfin le cachet, et portant des regards timides sur ces caractères chéris, des larmes de joie inondèrent bientôt cette lettre consolante ; elle la pressa contre son cœur, la baisa mille fois. « O mon respectable ami ! pardonne-moi », répétait-elle. « Non, je ne devais pas te soupçonner. » Découvrant alors à Madame de Ranci la cause de son effroi, elle fit passer dans l'âme de son amie une partie des mouvements qui affectaient la sienne.

En relisant la lettre du marquis, Ernestine recommença à s'inquiéter. « Eh ! que doit-il donc m'apprendre ? » demandait-elle à Madame de Ranci. « Il veut me quitter peut-être, renoncer à me voir, tout m'annonce une triste séparation. Que signifient ces expressions : *Quand je vous disais, je ne vous importunerai plus, j'étais bien éloigné de vouloir élever dans votre esprit ces idées funestes où je vois trop qu'il s'abandonnait. J'ai cherché, j'ai fui l'occasion de vous dévoiler le sens de ces paroles. Hélas ! ma chère Ernestine, quelle triste confidence ai-je à vous faire ! quel sacrifice mon devoir exige ! il ne m'est plus permis de vivre pour moi-même ; il ne m'est plus permis d'espérer d'être heureux.* Ah ! je vais le perdre », s'écriait-elle, « mon cœur me le dit ! Eh ! d'où vient ne peut-il vivre heureux, et me voir, et m'aimer ? Comment un même sentiment produit-il de si différents effets ? Mon amour est un bonheur si grand pour moi ! faut-il que le sien trouble la douceur de sa vie ! »

Elle attendit impatiemment l'heure où elle croyait recevoir la visite de Monsieur de Clémengis. Le temps s'écoulait lentement au gré de ses désirs ; le jour finit, et son inquiétude augmenta. Le lendemain, à son réveil, on lui présenta une lettre du marquis. Elle déchira l'enveloppe

65

avec précipitation, et cherchant avidement la confirmation de ses craintes, elle la trouva dans ces paroles :

Lettre de Monsieur de Clémengis

O ma chère Ernestine ! Après la preuve touchante que vous venez de me donner de vos sentiments, puis-je sans expirer de douleur vous annoncer mon départ, et l'événement qui doit le suivre ! Faut-il vous quitter, vous dire un éternel adieu ! faut-il percer votre cœur du même trait dont le mien se sent déchirer !

Fille aimable ! née pour le bonheur de ma vie, digne du sort le plus brillant : ah ! que le mien ne dépend-il de moi ! Le devoir, la reconnaissance, des engagements pris depuis longtemps, renversent toutes mes espérances. Mais en avais-je ? Comment me suis-je flatté... Ah ! fallait-il vous conduire à partager une passion inutile ! Que d'amertume, que de regrets se mêlent à des peines si vives ! Me pardonnerez-vous ? Ne me mépriserez-vous point ? Ne me haïrez-vous jamais ? Ma chère, ma tendre amie, daignez me rassurer sur mes craintes, dites-moi que vous me pardonnez ; ne me refusez pas une consolation si nécessaire à mon cœur, à mon cœur affligé.

Le malheur de ma vie est enfin déterminé. Mon oncle a levé tous les obstacles qui éloignaient encore mon mariage ; il me contraint, il me force d'aller rendre des soins à Mademoiselle de Saint-André. Dans une heure je pars avec son père ; il me mène à une terre où la maréchale de Saint-André[44] nous

---

[44]*Maréchale* = femme du maréchal : un haut grade militaire, mais aussi un titre de noblesse. Il y avait eu effectivement un maréchal de Saint-André au XVIe siècle, dont l'alliance avec le duc de Guise et le

attend. Sa fille sort demain du couvent ; on va nous présenter l'un à l'autre, on nous unira bientôt, sans nous consulter, sans s'embarrasser si nos cœurs sont disposés à se donner. Quoi, ma chère Ernestine, je vais me lier, me lier à jamais ! et ce n'est point à vous...

Je croyais jouir plus longtemps de ma liberté. On devait attendre la décision du Parlement.[45] L'incertitude de mes droits sur une riche succession, sur d'immenses arrérages, retardait le consentement du maréchal de Saint-André. La libéralité de mon oncle me désole en ce moment : une donation[46] m'assure tous ses biens ; je n'ai plus d'espoir.

Vous prierai-je de m'oublier ? Non, oh non, je ne puis souhaiter d'être oublié de vous, je ne puis désirer de vous oublier : vous serez toujours présente à mon idée, toujours chère à mon cœur. Je penserai sans cesse à vous ; je vous écrirai, je vous entretiendrai de mon estime, de mon amitié, et, malgré moi, peut-être, de ma tendresse. Je ne vous la rappellerai point pour vous presser de la partager encore, mais pour vous prouver que le temps ne peut ni l'affaiblir ni l'éteindre.

Vivez paisible, vivez heureuse ; que le souvenir d'un sincère, d'un véritable, d'un constant ami, vous arrache quelquefois un soupir ; mais que ce soupir soit tendre et non pas douloureux... Je ne puis retenir mes larmes ; elles s'échappent de mes yeux, elles effacent ce que j'écris. O ma généreuse

---

Connétable de Montmorency est mentionnée dans *La Princesse de Clèves* de Mme de Lafayette.

[45]Le parlement est le plus haut lieu justicier — une sorte de cour suprême — pour la province en question.

[46]*Donation entre vivants* : document légal effectuant un transfert direct de propriété, plutôt qu'un legs dont il n'hériterait qu'à la mort de son oncle.

amie ! Vous en répandrez sans doute, puissent-elles n'être pas aussi amères que les miennes ! Je vous aime, je vous adore, je vous fuis, je vous perds, je suis le plus infortuné de tous les hommes.

De quels mouvements cette lecture agita le cœur de la sensible Ernestine ! Elle l'interrompit cent fois pour laisser un libre cours à ses pleurs, à ses soupirs, à ses gémissements. « Il part », disait-elle, « il me fuit ; je ne le verrai plus ! Il va s'unir à l'heureuse épouse qu'on lui destine. Il me dit de vivre *paisible, heureuse* : ah ! comment serais-je paisible loin de lui, heureuse sans lui ! » Elle passa tout le jour à s'affliger, à se plaindre du marquis. « Quelle dureté ! », s'écriait-elle. « A-t-il pu partir sans me voir, sans me parler, sans mêler ses larmes avec les miennes ! » Elle pleurait, elle écrivait, déchirait ses lettres commencées, s'abîmait dans sa douleur, reprenait sa plume et la quittait encore. Son agitation, la violence de ses transports l'accablèrent enfin : elle fut malade, abattue, languissante pendant plusieurs jours. Mais les lettres du marquis, les représentations de Madame de Ranci, le retour de Mademoiselle Duménil, ses soins, son amitié, ramenèrent un peu de calme dans son âme. Elle s'accoutuma à se dire, à se répéter que jamais elle n'avait rien espéré ; elle cessa de se plaindre de son sort, elle voulut s'y soumettre, et chercha dans sa raison la force de supporter ses peines avec résignation.

Deux mois s'écoulèrent, pendant lesquels le marquis de Clémengis écrivit régulièrement à son aimable amie. Il ne lui disait point si ses nœuds étaient serrés ; elle n'osait le demander, elle craignait de l'apprendre ; mais elle devait bientôt être éclaircie du destin de Monsieur de Clémengis, et sentir par une triste expérience combien on éprouve de douleurs pendant le cours de ces attachements trop tendres où le cœur se livre avec tant de plaisir, qui lui paraissent la source d'un bonheur si vif et si constant.

Une parente de Mademoiselle Duménil se mariait à la campagne, environ à dix lieues de Paris. Elle épousait un homme fort riche ; comme il avait longtemps désiré l'heureux moment d'être à elle, cet amant comblé de joie voulait rendre ses noces brillantes et préparait des fêtes pour les célébrer. Henriette, invitée à partager les plaisirs qu'on se promettait de goûter dans les lieux consacrés à l'amusement, exigea de la complaisance d'Ernestine qu'elle l'accompagnât dans ce court et agréable voyage. Elle s'en défendit, mais elle céda enfin aux instances de son amie. Avant de partir, elle chargea Madame de Ranci de lui envoyer ses lettres par un exprès ; mais plusieurs jours s'écoulèrent sans qu'Ernestine reçût aucune nouvelle ni d'elle ni du marquis.

En menant son amie à la campagne, Mademoiselle Duménil n'avait pas songé que de toutes les dissipations, la moins capable de la distraire était le spectacle dont elle

69

la rendait témoin. « On donne peut-être les mêmes fêtes chez le maréchal de Saint-André », disait Ernestine en soupirant ; « mais une joie si douce ne remplit pas le cœur du marquis ; il n'aime point, il ne jouit pas des plaisirs où se livrent ces heureux amants. Cependant il ne m'écrit plus ! Croyez-vous », demandait-elle à Henriette, « qu'il cesse de m'écrire ? Me privera-t-il de la seule consolation qui me reste ? Ah ! sans doute il m'en privera ! Il ne pensera plus à moi, il ne s'informera seulement pas si j'existe encore. N'importe : il me sera toujours cher, mes sentiments pour lui m'occuperont sans cesse. Jamais, jamais je ne perdrai l'idée du marquis de Clémengis ; et si le temps peut faire que je songe à lui sans douleur, je suis bien sûre de n'y songer jamais sans intérêt. » Henriette s'efforçait d'adoucir ses chagrins, de calmer ses inquiétudes ; mais la situation d'Ernestine allait devenir si fâcheuse que les conseils et les soins de l'amitié ne pourraient plus rien sur son cœur.

Monsieur de Maugis, ami des maîtres de la maison, arriva le matin du jour où tout le monde se disposait à revenir à Paris. On lui reprocha de ne s'être point rendu à des invitations pressantes, on lui rappela sa promesse. Il répondit que l'événement dont on devait être instruit l'excusait assez. Tout le monde l'environnant alors, dix personnes l'interrogèrent à la fois. « Quoi ! » dit-il d'un air surpris,

« vous ignorez le malheur du comte de Saint-Servains, ce-lui de mon frère et l'exil du marquis de Clémengis ? »[47]

Ernestine entrait dans le salon. Ces paroles la glacèrent ; elle resta debout près de la porte, s'appuya contre un lambris, et recueillit toutes les forces que lui laissait le saisissement de son cœur, pour écouter Monsieur de Maugis.

« Oui », poursuivit-il, « le comte de Saint-Servains est étroitement gardé, ses papiers sont enlevés, ses effets saisis. Mon frère avait sa confiance, on s'est assuré de lui : un secret impénétrable dérobe la connaissance du crime qu'on leur suppose. Un homme dont le génie et l'application rendaient l'administration si heureuse, dont le désintéressement est connu, dont l'affabilité gagnait tous les cœurs, est noirci par l'envie : puisse-t-il confondre la calomnie, et revoir à ses pieds ses vils accusateurs. »

« Que je plains votre frère », dit alors le chevalier d'Elmont ; « que je plains l'aimable marquis de Clémengis ! Il allait épouser Mademoiselle de Saint-André, ce mariage ne se fera plus. » « Non, assurément », reprit Monsieur de Maugis ; « il a reçu cette accablante nouvelle et l'ordre d'aller à Clémengis deux heures avant la signature des articles,[48] et s'est hâté de prévenir le maréchal, en rompant lui-même leurs mutuels engagements. »

---

[47]Le comte de Saint-Servains est apparemment l'oncle dont a déjà parlé Clémengis. En l'occurrence, l'exil n'est pas un expatriement mais un banissement à une certaine distance de la cour.
[48]C'est-à-dire le contrat de mariage.

« Eh mon Dieu », dit encore le chevalier d'Elmont, « une circonstance bien cruelle fait que la disgrâce de son oncle devient un double malheur pour lui : son procès ne se juge-t-il pas incessamment ? » « Oui », répondit Monsieur de Maugis, « et tout Paris croit qu'il le perdra. »

Pendant ces discours, Henriette s'approcha insensiblement d'Ernestine, et passant un bras autour d'elle, l'entraînant hors du salon, elle l'aida à marcher et la conduisit dans sa chambre.

Pâle, froide, inanimée, Ernestine semblait insensible à cette nouvelle terrible et imprévue ; elle promenait autour d'elle des regards stupides, elle ne pouvait parler, elle ne pouvait respirer. Mademoiselle Duménil l'invitait en vain à répandre des larmes en la baignant des siennes ; le serrement de son cœur ne lui permettait pas d'en verser. Fixant enfin les yeux sur son amie, elle la regarda longtemps, et levant au Ciel ses mains faibles et tremblantes : « Que ne suis-je morte », dit-elle, « Ah ! que ne suis-je morte, avant d'avoir appris que Monsieur de Clémengis est malheureux ! »

Ses pleurs, coulant alors avec abondance, soulagèrent un peu l'oppression de son âme, rappelèrent ses esprits ; mais quelle agitation, quels cris de douleur succédèrent à son accablement ! « Exilé, ruiné, perdu ! » répétait-elle. « Lui ! le marquis de Clémengis ! »

Paraissant tout à coup se calmer, elle essuya ses pleurs, prit les mains d'Henriette, et la considérant un moment, baissant les yeux, les relevant sur elle, poussant de profonds soupirs, elle semblait hésiter à lui découvrir sa pensée.

« Je vous afflige », lui dit-elle ; « Hélas ! je vais peut-être vous révolter ; mais au nom de notre amitié, ne vous opposez point à mes desseins. J'ai un projet : ne le combattez par aucune raison, par aucun discours. O ma chère Henriette ! je n'abandonnerai point Monsieur de Clémengis. Il est exilé, son mariage est rompu, sa fortune détruite ; il va perdre le reste de ses espérances[49] ! il est affligé, malheureux ! Je veux partir, aller le trouver ; ma vue sera peut-être un adoucissement à ses peines ; si je ne puis le consoler, je partagerai ses maux ; je veux gémir, souffrir, mourir avec lui ! Ne me dites rien, non, ne me dites rien ; ne me parlez ni du monde, ni de ses cruelles bienséances ; je les rejette si la dureté les accompagne. Est-il des lois plus saintes que celles de l'amitié ? des devoirs plus sacrés que ceux de la reconnaissance ? A qui dois-je des égards ? Je ne tiens à personne : si ma démarche est une faute, j'en rougirai seule. Je veux dénaturer[50] tout ce que je possède ; je veux rendre en secret à Monsieur de Clémengis tous les biens que j'ai reçus de lui. Ah ! pourrais-

---

[49]C'est-à-dire, les espérances de patrimoine qui sont en jeu dans son procès, qui sera maintenant perdu.

[50]Terme de jurisprudence : transformer ses biens immobiliers en capitaux mobiliers, autrement dit vendre ses terrains pour disposer du liquide.

je en jouir à présent ? Heureuse aux yeux des autres, ingrate aux miens, comment supporterais-je la vie ? »

Mademoiselle Duménil pensait trop noblement pour ne pas approuver une partie du dessein de son amie ; et dans celle qui lui paraissait mériter plus de considération, elle la voyait si attachée à ses propres idées, qu'entreprendre de la détourner d'aller à Clémengis, c'était l'affliger beaucoup, sans pouvoir s'assurer de changer sa résolution : elle ne lui dit donc rien, la laissa maîtresse d'interpréter son silence, et toutes deux se hâtèrent de revenir à Paris.

Pendant la route, Ernestine se souvint d'un honnête vieillard qui prenait soin des affaires de Monsieur de Clémengis et lui était extrêmement attaché ; il s'appelait Lefranc. Pendant son séjour chez Monsieur Duménil, elle le voyait souvent avec lui. Le marquis avait employé le peintre sur la parole de Monsieur Lefranc, qui vantait sans cesse son talent. Elle se rappela qu'il logeait dans le voisinage, et son premier soin en arrivant à Montmartre, où elle voulut descendre, fut d'inviter cet homme par un billet pressant à venir lui parler le lendemain de grand matin : une affaire importante où il pouvait l'obliger l'engageait, lui disait-elle, à l'entretenir et à le consulter. Il se rendit à l'abbaye à l'heure indiquée.

La présence d'un homme qui aimait Monsieur de Clémengis, qui tenait à lui, excita la plus vive émotion dans le cœur d'Ernestine. Elle voulut s'expliquer, commença à parler, mais ses pleurs la forcèrent de s'arrêter.

Le bon vieillard, charmé de revoir la belle élève de son ancien ami, l'assurait de son empressement à la servir, et lui faisait mille protestations de suivre exactement les ordres qu'elle allait lui donner. Il n'ignorait pas combien elle était chère au marquis, et pensait lui devoir les mêmes égards qu'il aurait eu[51] pour la sœur de Monsieur de Clémengis.[52]

Ernestine accepta ses offres de service ; elle lui ouvrit son cœur, s'étendit sur les bontés du marquis, sur la reconnaissance qu'elle en conserverait toujours ; et remettant entre les mains de Monsieur Lefranc ses bijoux, ses pierreries, et plusieurs effets commerçables, elle le chargea de les vendre et d'en faire toucher l'argent à Monsieur de Clémengis, sans jamais lui découvrir d'où il venait. Ensuite elle le pria de s'arranger avec Mademoiselle Duménil pour emprunter sur sa terre afin de grossir la somme, et lui recommanda la diligence et le secret.

Monsieur Lefranc savait qu'Ernestine devait sa fortune à Monsieur de Clémengis, mais il ne savait point de quels moyens il s'était servi en l'obligeant. Son billet lui persuadait que cette fortune dépendait du marquis, et son premier mouvement en la voyant si affligée avait été de

---

[51]On s'attendrait à *eus*, mais la graphie était quelquefois incertaine dans des cas comme celui-ci où la différence serait inaudible.

[52]On ne sache pas que Clémengis ait réellement une sœur : Lefranc doit la traiter de même que si elle était sa sœur.

penser que, dans la circonstance présente, elle voulait prendre des mesures avec lui sur ses intérêts.[53]

Une surprise mêlée d'admiration le rendit muet pendant quelques instants ; il regardait Ernestine, portait les yeux sur le dépôt qu'elle lui confiait, la regardait encore, semblait douter s'il ne se trompait point. « Hésitez-vous à me servir ? », lui demanda-t-elle d'un air inquiet. « Non, Mademoiselle, non », lui dit-il, « je remplirai vos désirs, je les surpasserai peut-être : soyez tranquille, je m'acquitterai fidèlement de l'emploi dont vous daignez me charger. Monsieur le marquis a bien placé[54] les affections de son cœur ; je souhaite que le ciel lui rende le comte de Saint-Servains, sa fortune, sa santé, et lui conserve une amie aussi tendre, aussi respectable que vous. »

« Sa santé ! » interrompit vivement Ernestine. « Ah, mon Dieu ! serait-il malade ? » « Ne vous effrayez pas, Mademoiselle », reprit Monsieur Lefranc ; « il l'a été, il l'a beaucoup été, mais il se trouve mieux ; j'espère le voir avant peu ; si le succès ne trompe point mon attente, je serai à Clémengis avant la fin de la semaine. Calmez-vous, Mademoiselle, je ne partirai pas sans envoyer prendre vos ordres ; je vous écrirai peut-être ce que la crainte d'élever de fausses espérances dans votre cœur m'oblige de vous

---

[53]C'est-à-dire pour tenir ses propres biens à l'abri de la ruine qui atteignait Clémengis.

[54]Dans ce contexte, le mot *placer* suggère un investissement, non d'argent mais de sentiment, qui est rendu avec intérêts.

taire à présent. » En achevant ces mots, il la salua respectueusement et prit congé d'elle.

Quelle nouvelle amertume pénétra l'âme d'Ernestine ! Le marquis de Clémengis malheureux, le marquis de Clémengis malade, en danger peut-être ! comment soutenir cette cruelle idée ? Si le silence d'Henriette montrait qu'elle condamnait sa démarche, si la crainte de déplaire à cette véritable amie mêlait un peu d'indécision à ses desseins, l'état du marquis l'emporta sur toutes les considérations qui pouvaient l'arrêter encore. Elle écrivit à Mademoiselle Duménil. Sa lettre détermina Henriette à lui prêter une chaise,[55] un de ses gens pour courir devant elle, et à lui envoyer des chevaux de poste, comme elle l'en pressait. A midi, Madame de Ranci et elle partirent.

Que d'impatience pendant la route, que de soupirs, de larmes ! « Ah ! si je ne le voyais plus ? » disait-elle à Madame de Ranci, « si le ciel me privait de lui, si j'étais condamnée à pleurer sa mort ! Ah ! pourrais-je vivre, et me dire, et me répéter : il n'est plus ! »

Une nuit passée à gémir, tant de trouble, d'agitation, et la fatigue du voyage épuisèrent ses forces ; dès le second jour de sa marche, elle fut obligée de s'arrêter dans un petit village : elle ne pouvait supporter le mouvement de la chaise, elle s'évanouissait à tous moments. Madame

---

[55]Un carrosse léger.

de Ranci obtint enfin de sa raison, de sa complaisance, de son amitié, qu'elle prendrait de la nourriture et du repos. Un sommeil long et paisible la rafraîchit, la mit en état de continuer sa route le lendemain, et d'arriver à Clémengis le soir du second jour.

Plusieurs des gens du marquis connaissaient Ernestine ; les premiers qui l'aperçoivent courent l'annoncer à leur maître. Il ne peut les croire. Elle entre. Il la voit, il doute encore si c'est elle. Elle avance en tremblant, tombe à genoux devant son lit, reçoit la main qu'il lui tend, la serre faiblement dans les siennes, la baise, l'inonde de ses pleurs.

« Est-ce elle ? est-ce Ernestine ? » répétait le marquis, en l'obligeant à se lever, à s'asseoir près de lui. « Quoi ! ma charmante amie daigne me chercher ! Chère Ernestine ! Quelle douce, quelle agréable surprise ! Ah, je n'attendais point cette faveur précieuse. »

« Eh ! pourquoi, Monsieur, pourquoi ne l'attendiez-vous pas ? » lui demanda-t-elle du ton le plus touchant. « Me mettiez-vous au rang de ces amis que la disgrâce éloigne ? me croyez-vous insensible, ingrate ? Avez-vous oublié que vous êtes tout pour moi dans l'univers ? Ah ! si ma présence, si mes soins, si les plus fortes preuves de ma tendresse peuvent adoucir vos peines, parlez, Monsieur, parlez, je ne vous quitte plus ; tous les instants de ma vie seront heureux s'il en est un seul dans le jour où ma vue, où mon empressement à vous plaire, dissipe le souvenir de vos pertes, porte un rayon de joie dans votre âme. »

Le visage de Monsieur de Clémengis se couvrit de rougeur ; il prit les mains d'Ernestine, il les arrosa de larmes brûlantes. « Ah ! comment », s'écria-t-il, « ai-je immolé le plus grand bonheur à de vains égards ? mes plus ardents désirs à de bizarres préjugés ? Est-ce Ernestine, est-ce l'aimable fille que je sacrifiais à l'avide ambition, au fol orgueil, qui conserve pour moi des sentiments si tendres ? Elle cherche un malheureux, un proscrit peut-être ! Sa généreuse compassion l'attire dans ce désert,[56] elle vient me consoler : ah ! je sens déjà moins des peines qu'elle daigne partager ; tout cède à présent dans mon cœur au regret de ne pouvoir reconnaître ses bontés. »

Ernestine allait parler quand des voix confuses se firent entendre. On ouvrit brusquement. Monsieur Lefranc, plutôt porté qu'introduit par les gens du marquis, entra en criant : « Votre procès est gagné tout d'une voix, Monsieur ; on parle au comte de Saint-Servains, ses accusateurs sont arrêtés : je n'ai pas voulu qu'un autre vous apportât ces heureuses nouvelles. »

« Mon oncle justifié, mon procès gagné ! » s'écria le marquis. « Ah ! je pourrai donc suivre les inspirations de mon cœur, payer tant d'amour, de noblesse, de vertus. Viens,

---

[56]*Désert* dans la langue de l'époque veut dire un endroit isolé.

ma chère Ernestine, viens », répéta-t-il, transporté de plaisir ; « Viens dans les bras de ton époux. Mes enfants », dit-il à ses gens, qui versaient des larmes de joie, « mes chers enfants, voilà votre maîtresse. » Et tendant la main à Monsieur Lefranc : « Et vous, mon zélé, mon honnête ami, soyez le premier à féliciter la marquise de Clémengis. »

Des cris d'allégresse s'élevèrent alors dans la chambre. Ernestine était aimée, elle était respectée, elle méritait le bonheur dont elle allait jouir. Madame de Ranci levait les mains au ciel, lui rendait grâce, embrassait Ernestine, prononçait de tendres bénédictions sur le marquis et sur elle. Monsieur Lefranc, trahissant le secret qu'on lui avait confié, racontait à Monsieur de Clémengis l'action généreuse d'Ernestine. Elle seule, craignant encore pour des jours si chers, n'osait se livrer à la joie. On la rassura ; le marquis était faible, mais il était convalescent, et le plaisir allait lui rendre la santé…

Mais épargnons au lecteur fatigué peut-être des détails plus longs qu'intéressants. Il peut aisément se peindre le bonheur de deux amants si tendres. Le comte de Saint-Servains, vengé de ses ennemis, rentra dans les fonctions de son ministère ; il pardonna à son neveu un mariage qui le rendait heureux. Henriette partagea la félicité de son amie. Madame de Ranci retourna dans sa retraite, où les soins attentifs de Madame de Clémengis prévinrent ses désirs : et moi, qui n'ai plus rien à dire de cette douce et sensible Ernestine, je vais peut-être m'occuper des inquiétudes et des embarras d'une autre.

FIN

Modern Language Association of America
Texts and Translations

Texts

Anna Banti. *"La signorina" e altri racconti*. Ed. and introd. Carol Lazzaro-Weis. 2001.

Bekenntnisse einer Giftmischerin, von ihr selbst geschrieben. Ed. and introd. Raleigh Whitinger and Diana Spokiene. 2009.

Adolphe Belot. *Mademoiselle Giraud, ma femme*. Ed and introd. Christopher Rivers. 2002.

Dovid Bergelson. אָפּגאנג. Ed. and introd. Joseph Sherman. 1999.

Elsa Bernstein. *Dämmerung: Schauspiel in fünf Akten*. Ed. and introd. Susanne Kord. 2003.

Edith Bruck. *Lettera alla madre*. Ed. and introd. Gabriella Romani. 2006.

Mikhail Bulgakov. Дон Кихот. Introd. Margarita Marinova and Scott Pollard. 2014.

Isabelle de Charrière. *Lettres de Mistriss Henley publiées par son amie*. Ed. Joan Hinde Stewart and Philip Stewart. 1993.

Isabelle de Charrière. *Trois femmes: Nouvelle de l'Abbé de la Tour*. Ed. and introd. Emma Rooksby. 2007.

François-Timoléon de Choisy, Marie-Jeanne L'Héritier, and Charles Perrault. *Histoire de la Marquise-Marquis de Banneville*. Ed. Joan DeJean. 2004.

Sophie Cottin. *Claire d'Albe*. Ed. and introd. Margaret Cohen. 2002.

Marceline Desbordes-Valmore. *Sarah*. Ed. Deborah Jenson and Doris Y. Kadish. 2008.

Claire de Duras. *Ourika*. Ed. Joan DeJean. Introd. DeJean and Margaret Waller. 1994.

Şeyh Galip. *Hüsn ü Aşk*. Ed. and introd. Victoria Rowe Holbrook. 2005.

Françoise de Graffigny. *Lettres d'une Péruvienne*. Introd. Joan DeJean and Nancy K. Miller. 1993.

Sofya Kovalevskaya. Нигилистка. Ed. and introd. Natasha Kolchevska. 2001.

Thérèse Kuoh-Moukoury. *Rencontres essentielles*. Introd. Cheryl Toman. 2002.

Juan José Millás. *"Trastornos de carácter" y otros cuentos*. Introd. Pepa Anastasio. 2007.

Emilia Pardo Bazán. *"El encaje roto" y otros cuentos*. Ed. and introd. Joyce Tolliver. 1996.

Rachilde. *Monsieur Vénus: Roman matérialiste.* Ed. and introd. Melanie Hawthorne and Liz Constable. 2004.

Marie Riccoboni. *Histoire d'Ernestine.* Ed. Joan Hinde Stewart and Philip Stewart. 1998.

George Sand. *Gabriel.* Ed. Kathleen Robin Hart. 2010.

Eleonore Thon. *Adelheit von Rastenberg.* Ed. and introd. Karin A. Wurst. 1996.

Translations

Anna Banti. *"The Signorina" and Other Stories.* Trans. Martha King and Carol Lazzaro-Weis. 2001.

Adolphe Belot. *Mademoiselle Giraud, My Wife.* Trans. Christopher Rivers. 2002.

Dovid Bergelson. *Descent.* Trans. Joseph Sherman. 1999.

Elsa Bernstein. *Twilight: A Drama in Five Acts.* Trans. Susanne Kord. 2003.

Edith Bruck. *Letter to My Mother.* Trans. Brenda Webster with Gabriella Romani. 2006.

Mikhail Bulgakov. *Don Quixote.* Trans. Margarita Marinova. 2014.

Isabelle de Charrière. *Letters of Mistress Henley Published by Her Friend.* Trans. Philip Stewart and Jean Vaché. 1993.

Isabelle de Charrière. *Three Women: A Novel by the Abbé de la Tour.* Trans. Emma Rooksby. 2007.

François-Timoléon de Choisy, Marie-Jeanne L'Héritier, and Charles Perrault. *The Story of the Marquise-Marquis de Banneville.* Trans. Steven Rendall. 2004.

Confessions of a Poisoner, Written by Herself. Trans. Raleigh Whitinger and Diana Spokiene. 2009.

Sophie Cottin. *Claire d'Albe.* Trans. Margaret Cohen. 2002.

Marceline Desbordes-Valmore. *Sarah.* Trans. Deborah Jenson and Doris Y. Kadish. 2008.

Claire de Duras. *Ourika.* Trans. John Fowles. 1994.

Şeyh Galip. *Beauty and Love.* Trans. Victoria Rowe Holbrook. 2005.

Françoise de Graffigny. *Letters from a Peruvian Woman.* Trans. David Kornacker. 1993.

Sofya Kovalevskaya. *Nihilist Girl.* Trans. Natasha Kolchevska with Mary Zirin. 2001.

Thérèse Kuoh-Moukoury. *Essential Encounters.* Trans. Cheryl Toman. 2002.

Juan José Millás. *"Personality Disorders" and Other Stories*. Trans. Gregory B. Kaplan. 2007.

Emilia Pardo Bazán. *"Torn Lace" and Other Stories*. Trans. María Cristina Urruela. 1996.

Rachilde. *Monsieur Vénus: A Materialist Novel*. Trans. Melanie Hawthorne. 2004.

Marie Riccoboni. *The Story of Ernestine*. Trans. Joan Hinde Stewart and Philip Stewart. 1998.

George Sand. *Gabriel*. Trans. Kathleen Robin Hart and Paul Fenouillet. 2010.

Eleonore Thon. *Adelheit von Rastenberg*. Trans. George F. Peters. 1996.

Texts and Translations in One-Volume Anthologies

Modern Italian Poetry. Ed. and trans. Ned Condini. Introd. Dana Renga. 2009.

Modern Urdu Poetry. Ed., introd., and trans. M. A. R. Habib. 2003.

Nineteenth-Century Women's Poetry from France. Ed. Gretchen Schultz. Trans. Anne Atik, Michael Bishop, Mary Ann Caws, Melanie Hawthorne, Rosemary Lloyd, J. S. A. Lowe, Laurence Porter, Christopher Rivers, Schultz, Patricia Terry, and Rosanna Warren. 2008.

Nineteenth-Century Women's Poetry from Spain. Ed. Anna-Marie Aldaz. Introd. Susan Kirkpatrick. Trans. Aldaz and W. Robert Walker. 2008.

Spanish American Modernismo. Ed. Kelly Washbourne. Trans. Washbourne with Sergio Waisman. 2007.